D0038324

LA FEMME QUI FUIT

Marchand de feuilles
C.P. 4, Succursale Place d'Armes
Montréal (Québec)
H2Y 3E9
Canada

www.marchanddefeuilles.com

Graphisme de la page couverture : Isabelle Toussaint
Photo de la couverture : André Turpin, Jérôme Cloutier
Mise en pages : Roger Des Roches
Révision : Hélène Bard
Diffusion : Hachette Canada

Marchand de feuilles remercie le Conseil des Arts du Canada et la Société de développement des entreprises culturelles (Sodec) pour leur soutien financier. Marchand de feuilles reconnaît l'aide financière du gouvernement du Canada par l'entremise du Fonds du livre du Canada (FLC) pour ses activités d'édition et bénéficie du Programme de crédit d'impôt pour l'édition de livres (Gestion Sodec) du gouvernement du Québec.

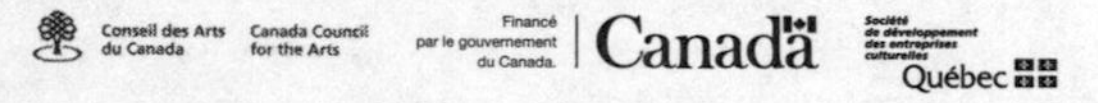

L'auteure remercie le Conseil des arts du Canada pour son soutien.

Catalogage avant publication de Bibliothèque et Archives nationales du Québec et Bibliothèque et Archives Canada

Barbeau-Lavalette, Anaïs, 1979-
La femme qui fuit
ISBN 978-2-923896-50-2
I. Titre.
PS8603.A705F45 2015 C843'.6 C2015-941518-7
PS9603.A705F45 2015

Bibliothèque et Archives nationales du Québec
Bibliothèque et Archives Canada

ANAÏS BARBEAU-LAVALETTE

LA FEMME QUI FUIT

Roman

La première fois que tu m'as vue, j'avais une heure. Toi, un âge qui te donnait du courage.

Cinquante ans, peut-être.

C'était à l'hôpital Sainte-Justine. Ma mère venait de me mettre au monde. Je sais que j'étais déjà gourmande. Que je buvais son lait comme je fais l'amour aujourd'hui. Comme si c'était la dernière fois.

Ma mère venait d'accoucher de moi. Sa fille, son premier enfant.

Je t'imagine qui entres. Le visage rond, comme le nôtre, tes yeux d'Indienne baignés de khôl.

Tu entres sans t'excuser d'être là. Le pas sûr. Même si ça fait 27 ans que tu n'as pas vu ma mère.

Même s'il y a 27 ans, tu t'es sauvée. La laissant là, en équilibre sur ses trois ans, le souvenir de tes jupes accroché au bout de ses doigts.

Tu t'avances d'un pas posé. Ma mère a les joues rouges. Elle est la plus belle du monde.

Comment as-tu pu t'en passer ?

Comment as-tu fait pour ne pas mourir à l'idée de rater ses comptines, ses menteries de petite fille, ses dents qui branlent, ses fautes d'orthographe, ses lacets attachés toute seule, puis ses vertiges amoureux, ses ongles vernis, puis rongés, ses premiers rhums and coke ?

Où est-ce que tu t'es cachée pour ne pas y penser ?

Là, il y a elle, il y a toi, et entre vous deux : moi. Tu ne peux plus lui faire mal parce que je suis là.

Est-ce que c'est elle qui me tend à toi, ou toi qui étires tes bras vides vers moi ?

Je me retrouve près de ton visage. Je bouche le trou béant de tes bras. Je plonge mon regard de naissante dans le tien.

Qui es-tu ?

Tu t'en vas. Encore.

La prochaine fois que je te vois, j'ai 10 ans.

Je suis juchée à la fenêtre du troisième étage, mon souffle fait fondre le givre délicat qui repose sur la vitre.

La rue Champagneur est blanche.

De l'autre côté, une femme oscillante dans un long manteau qui ne la protège plus.

Il y a certaines choses que les enfants devinent et moi qui ne te connais pas, je te décèle derrière cette valse hésitation.

Tu traverses la rue à grandes enjambées, y posant à peine la pointe du pied. Une araignée d'eau.

Tu files, te diriges vers nous, sans que le sol se souvienne de toi.

Tu déposes furtivement un petit livre dans la boîte à lettres avant de t'éclipser à nouveau. Mais juste avant de disparaître, tu me regardes. Alors, je me promets de te rattraper un jour.

Le train file en direction d'Ottawa. J'ai 26 ans. Ma mère, à côté de moi, lit une revue pour ne pas penser. J'aime picorer les photos de filles en robe par-dessus son épaule.

On a toutes les deux à faire là-bas, dans cette ville qu'on ne connaît pas. On espère vivement la fin de la journée, pour errer et se perdre ensemble dans les quartiers reculés, ceux qu'on préfère.

Mais ma mère a une idée. On va aller te voir. Si tu es encore vivante, tu dois habiter dans un immeuble de plusieurs étages, près du canal Rideau. C'est de là que nous proviennent les dernières nouvelles de toi.

Il ne faut pas appeler parce que tu vas nous dire de ne pas venir.

Il faut y aller.

Mais je ne sais pas si j'en ai envie. Je ne t'aime pas.

J'ai même un peu peur de toi.

Finalement, je préfère quand tu n'existes pas.

Ma mère a toujours peur qu'on l'abandonne encore.

Même si une mère, ça ne s'abandonne pas, il faut faire attention parce que, pour elle, ça n'est pas si clair que ça.

Je lui demande si elle est sûre de vouloir aller là.

Elle dit oui.

La journée passe et on se retrouve dans un taxi, en route vers toi.

Une dizaine de tours identiques se déploient vers le ciel. Dans le hall d'entrée, un gardien. Sur le mur, les noms des locataires s'enchaînent, à chacun sa petite sonnette invitant les visiteurs à s'annoncer.

Suzanne Meloche. Ton nom est là. Écrit de ta main. Lettres rondes, contrôlées. Porte 560.

On se faufile en douce, profitant du passage d'une voisine. Illégales.

Dans l'ascenseur, on ne parle pas.

Cinquième étage. C'est à nous. On traverse le corridor, long. On est postées devant ta porte. Ma mère cogne. Un temps. Des pas. J'ai peur.

Tu ouvres.

Je plante mon regard de jeune femme dans le tien, de roc.

Tu souris.

Ne chancelles pas, ne sembles presque pas surprise.

Pourtant. La dernière fois ensemble, j'étais naissante.

Tu ouvres ta porte encore un peu. Alors, on entre. Et tu nous invites à nous asseoir.

Ma mère et moi, on se dépose côte à côte. Sur le qui-vive. Prêtes à partir vite s'il le faut.

Tu es face à nous. Tu dois avoir 80 ans. Pommettes saillantes, lèvres fines, yeux ébène.

Tu nous ressembles.

Puis, tu te mets à parler. Et c'est moi, surtout, que tu regardes. C'est à moi que tu fais des clins d'œil.

On est là toutes les trois. Et c'est d'un naturel vertigineux. On pourrait presque ne rien dire et feuilleter ensemble une revue de filles.

D'une voix pleine, plus jeune que toi, tu nous racontes le quartier, calme, sécuritaire. Le bon voisinage qui ne te dérange pas et Hilda, une voisine, avec qui tu partages parfois un repas. Tu fabriques pour nous le récit d'une vieille, mais ta voix comme tes yeux ont 20 ans. Ton sourire aussi, vif, strident.

Tes vieux mots te protègent, tu les enchaînes pendant que je te cherche ailleurs.

Ton appartement est tout petit et lumineux. Des livres jonchent le plancher, comme oubliés en cours de lecture, eux aussi en attente de ton retour.

Dans ta cuisine, le lavabo est plein de vaisselle sale. Tu manges seule.

Si tu avais voulu, on aurait pu venir, des fois, manger avec toi. On aurait apporté des quiches, des fruits, du saumon fumé. Ma mère aurait garni la table pour que tu ne te fatigues pas. Elle fait les plus belles tables du monde. Mais tu ne le sauras jamais.

Tu parles maintenant de tes frères, l'un d'eux vient de mourir. Si tu es triste, tu ne veux pas qu'on le sache.

Ma mère te dit qu'elle a eu des nouvelles de Claire. Ta sœur religieuse. Tu ris. Tes dents sont blanches et toutes alignées, sauf une. Une rebelle. Claire ne semble pas t'intéresser, mais elle te fait rire.

Nous avons toutes les trois la même dent rebelle, le remarques-tu ?

Puis, ma mère te demande pourquoi tu es partie.

Tu n'as pas envie de répondre : ah non ! pas ça, pas aujourd'hui.

Ma mère n'insiste pas. Un silence épais nous étreint. Toi, il te glisse dessus. Impénétrable.

Je pose mes yeux sur toi une dernière fois.

Tu as de gros seins. Pas nous.

Tu as une armure. Pas nous.

Nous sommes ensemble. Pas toi.

Tu ne nous auras pas tout légué.

C'est ma mère qui décide de partir. Elle préfère s'échapper avant que tu nous fasses mal. On ne sait jamais. Salut, grand-maman. Tu m'envoies un dernier clin d'œil.

On s'en va patiner sur le canal. On est en voyage.

Il fait froid, on patine en se tenant la main parce que je ne suis pas bonne en patin et parce qu'on en a besoin. Le canal est long et vide, la glace lisse nous est offerte. Le froid nous assaille et nous ramène à la vie.

Le téléphone de ma mère sonne. C'est toi. Tu lui dis de ne plus faire ça. Tu lui dis que tu ne veux plus nous revoir, jamais.

Ma mère raccroche. Elle en a mangé, des rejets, et ils sont tous là, coincés dans sa gorge.

Elle a tout juste appris à ne pas s'étouffer avec.

Elle ne dit rien, mais ne lâche pas ma main. On se tient.

Je te déteste. J'aurais dû te le dire quand j'étais en face de toi.

Dans le train, je m'endors contre ma mère, qui est plus petite que moi.

Et puis un jour, tu meurs.

Cinq ans plus tard. Dans ce même petit appartement, où tu m'as immolée par sept clins d'œil.

Nous, on est en cocon familial à la campagne. Ce que mes parents ont construit et qui ne te ressemble pas. Une famille qui se colle.

Au téléphone, Claire, cette sœur religieuse que tu ne voyais plus, nous annonce ton décès.

Ma mère s'accroche aux murs. C'est Hiroshima dans son ventre.

Enfin débarrassée de ton absence.

Elle deviendra peut-être normale. Une femme, avec une mère enterrée.

Mais la voix douce, à l'autre bout du fil, nous apprend que quelques jours avant ta mort, tu as rédigé ton testament pour y inscrire nos noms. Celui de ma mère, de son frère, puis le mien, et celui de mon frère...

Nous sommes tes uniques héritiers. Tu nous invites donc enfin chez toi. C'est à nous d'aller vider ton petit appartement.

On part dans l'hiver à ta rencontre. À travers la tempête. Archéologues d'un quotidien opaque. Qui étais-tu ?

Chez toi, à genoux, on cherche.

Ta garde-robe. Des chapeaux. Des robes. Beaucoup de vêtements noirs.

Je ne peux m'empêcher de plonger dans les tissus. L'odeur, habituellement, raconte tant. Mais même elle est secrète. Subtile, ténue, difficile à saisir. Un mélange accidentel d'encens, de sueur des jours sans mouvement. Une note discrète d'alcool, peut-être ?

Dans une boîte à souliers, des photos de nous : mon frère et moi, à tous les âges. Tu les as gardées. Et ma mère, d'année en année, a continué à te les envoyer. Nos âges sont inscrits à l'arrière, traces du temps perdu, raté, échappé. Tant pis pour toi.

Ma mère est assise dans ta chaise berçante. Doucement, elle te touche. Pose ses mains où tu les as posées. Embrasse le rythme d'une berceuse, celle qui lui a manqué.

Dans la petite salle de bain, je trouve du rouge à lèvres très rouge. Et des petits bâtons de khôl. Dont tu marquais ton regard, lui donnant de la force. J'en dépose un trait sous mes yeux.

Ma mère déniche un meuble, fabriqué par son père il y a longtemps. On le descend dans la voiture. Elle porte aussi la chaise berçante sur son dos, que mon père attache solidement sur le toit de l'auto.

On part bientôt. Je suis dans ta chambre. Contre la fenêtre, une petite plante verte. Elle s'appuie sur la vitre, aspirée par le jour.

Au pied de ton lit, des livres sont empilés. J'en lis des passages, au hasard, soudain avide d'indices de toi.

Entre deux essais sur le zazen bouddhiste : une pochette de carton jaunie.

Dedans, des lettres. Des poèmes. Des articles de journaux.

Une mine d'or, que j'enfouis dans mon sac en voleuse.

On s'en va. Je glisse un exemplaire usé d'*Ainsi parlait Zarathoustra* dans ma poche.

On referme ta porte derrière nous, pour toujours.

On roule lentement dans la tempête. Sur le toit, ta chaise berçante fend l'air, vaillante. Je ne sais pas encore que j'y bercerai mes enfants.

Je feuillette Nietzsche, jauni par le temps. Entre deux pages, un article de journal plastifié.

La photo d'un autobus en feu.

1961, Alabama.

En caractères gras : *« Freedom riders, political protest against segregation. »*

Autour de l'autobus, des jeunes Noirs, des jeunes Blancs, sous le choc, rescapés des flammes. À genoux, une jeune femme. Elle me ressemble.

Il fallait que tu meures pour que je commence à m'intéresser à toi.

Pour que de fantôme, tu deviennes femme. Je ne t'aime pas encore.

Mais attends-moi. J'arrive.

Les morts, c'est nous. C'est bien certain,
il y a là un lien mystérieux qui fait que notre
vie s'alimente de la leur.

GEORGE SAND

Nous ne tombons pas du ciel mais poussons
sur notre arbre généalogique.

NANCY HUSTON

À ma mère,
À ma fille.

1930-1946

*

Basse-ville d'Ottawa. LeBreton Flats. Les petites maisons épluchées se tiennent la tête penchée, les cloches de l'église Sainte-Anne résonnent, et les hommes rentrent de l'usine, les mains pesantes et le ventre creux.

Il fait chaud et ça sent la terre mouillée.

La rivière déborde. Paraît même que, cette fois-ci, elle s'est rendue au cimetière. L'eau passe par-dessus les pierres tombales. La rivière sort de son lit, avale le pied des bercails et les pas pressés, court après tout ce qui bouge, réveille les morts. Toi, tu t'es demandé si les cercueils étaient imperméables. Et tu as imaginé les morts nageant la brasse.

Tu es haut perchée sur des jambes échasses, tu as les yeux qui envahissent ton visage et un toupet mal découpé qui se mélange à tes cils.

Il cache ton front bombé. Ta mère a l'impression que ton cerveau veut en sortir. Elle le contient comme elle le peut. Elle te taille un toupet en couvercle. Si elle pouvait te le laisser descendre jusqu'à la bouche, elle le ferait peut-être, pour filtrer au moins tes mots, à défaut de contrôler tes pensées.

L'eau touche tes pieds, mouille tes bas blancs dans tes beaux souliers vernis. T'as envie d'y goûter, voir si elle goûte la mort. Tu trempes ton doigt dedans et le portes à ta bouche.

Paraît que c'est pour ça que le cimetière français est construit près de la rivière. Parce que les Français, ça ne les dérange pas de voir leurs morts inondés. Les Anglais, eux, ils n'auraient jamais laissé faire ça.

Ça ne goûte rien. Ça te déçoit.

– *Catch it ! Catch it !*

Tu te retournes. De l'autre bord de la rue, un groupe d'enfants court après un rat.

– Go Claire, on y va !

Tu entraînes ta petite sœur à ses trousses.

Tu traverses la rue, de l'eau jusqu'aux mollets. Tu n'entends pas ta mère qui t'appelle, qui essaie de te retenir encore. Qui ne perd pas espoir d'y arriver un jour.

Tu avances à grandes enjambées, le visage sérieux. Tu entres en guerre.

Tu te lances à plat ventre sur le rat, que tu attrapes de tes deux mains, que tu retiens solidement, que tu brandis comme un trophée, les yeux perçants et le visage animal.

– *Got it !*

Ta sœur Claire te regarde, impressionnée. Tu fais face aux Anglais, ton rat dans les mains, ta robe souillée. Tu les fixes, frondeuse.

Tu as quatre ans.

La messe commence dans cinq minutes.

Tu as de la boue dans les culottes.

Tu regardes par la fenêtre de ta chambre. Le pas paresseux, on s'engouffre déjà dans l'église au coin de la rue. Tout le monde est propre et repassé, jusqu'aux genoux.

En dessous des genoux, c'est gris et mouillé.

– Suzanne ! Envoye !

Claudia, ta mère, t'appelle d'en bas. Tu finis d'enfiler ta blouse blanche et descends.

Madeleine, Paul, Pierre, Monique et Claire sont propres et attendent sagement devant la porte. Ta mère est assise, maigre et pâle. Elle te regarde sévèrement, de la tête aux pieds.

Elle a abdiqué sur les mots, ne les cherche même plus. Elle se réfugie dans ce regard aiguisé. Ce regard qui te scrute et te condamne jusqu'au fond du ventre. Tu l'évites, glisses dessus.

La boue sèche dans tes culottes, ça pique, mais ça ne paraît pas.

Tes frères aident ta mère à se lever, puis vous sortez.

Au passage, tu effleures les notes du vieux piano des doigts, en ramasses la poussière. Ta mère surprend ton geste. Pas le droit de toucher le piano. Tu t'excuses d'une voix claire.

Tu as toujours cette voix qui porte. Même quand tu chuchotes. Tu ne sais pas comment adoucir les choses. Elles te traversent la gorge en un jet brut et précis, en diamant ou en flèche.

C'est un bon piano. Un Heintzman, en bois. Des gravures ornent son ventre, des lignes souples qui se suivent et tournoient sans jamais se toucher.

Il est entré dans la maison il y a 12 ans. Claudia, ta mère, l'aime. Elle en jouait, adolescente. Sa tante lui a appris ses gammes. Claudia trouvait les gammes plus musicales que beaucoup de morceaux et les enchaînait avec un réel plaisir. Elle aurait pu ne jouer que ça.

Que la pression de ses doigts fins puisse faire jaillir ainsi des sons ardents, qui s'emparaient de l'espace, l'émouvait profondément. Elle aimait toucher les notes du piano, qui lui donnaient du pouvoir. Elle se sentait alors vivante.

Elle a plus tard suivi des cours avec une dame qui portait de belles robes à fleurs et des bas collants fins, sans maille.

Avec elle, Claudia enlevait ses souliers quand elle jouait, pour sentir le froid sec des pédales sur la plante de ses pieds.

Elle jouait Chopin, parce que ça ressemble à la mer.

Elle avait du talent.

Puis, elle a rencontré Achille. Il était professeur, connaissait beaucoup de choses et en parlait peu. Il avait ce genre de présence qui laisse des traces. Dont on sent le passage plusieurs minutes après le départ. Claudia avait envie de nager dans son sillage. De se baigner dans ce qui débordait de lui.

Ils se sont mariés. Ont trouvé cette grande maison, rue Cambridge, dans le quartier ouvrier d'Ottawa. Ils étaient face à l'église, c'était pratique.

Claudia a voulu que son piano la suive. Achille l'a porté pour elle à bout de bras.

Ils lui ont choisi une belle place dans la maison, pour que Claudia s'y installe en reine.

Mais Claudia a eu un premier enfant et ne s'est plus jamais assise au piano.

Quand Achille lui demandait de jouer, elle souriait par en dedans. Un sourire de fuite.

Un jour, tout de même, elle lui a dit que simplement, elle ne savait plus comment.

Comme Achille restait là à attendre plus et qu'elle ne pouvait lui échapper, elle lui a dit qu'elle ne savait plus comment toucher les notes, parce qu'elle n'avait plus rien à donner.

Qu'elle sentait que les notes allaient heurter les murs et le plafond, puis s'écraser par terre.

Achille, calme, lui avait répondu doucement qu'on aurait qu'à ouvrir les fenêtres.

Claudia l'avait aimé et avait pleuré un peu. Mais jamais elle n'avait pourtant rejoué.

Aujourd'hui, le piano trône toujours au milieu du salon. Il prend la poussière et ça l'exaspère.

Une nuit, tu l'as vue le nettoyer. Un tissu à la main, elle le frottait obstinément. Comme s'il était une tache entière.

Avant, les samedis, tu accompagnais ta mère au salon de coiffure. C'était votre sortie. Pendant qu'elle se faisait boucler les cheveux, s'animant comme rarement, tu faisais la file devant le téléimprimeur. Une petite machine a priori banale, mais qui permettait à des pauvres de devenir riches. On y lisait le cours actuel des actions, à la minute près. Entre deux dames permanentées, une petite machine était branchée sur Wall Street.

Et ça t'impressionnait.

Comme tout le monde, ton père spéculait. Après avoir noté minutieusement les chiffres dans le creux de ta main, tu appelais chez toi et les lui donnais.

Quelques jours après, souvent, un nouveau four, un frigo, un service de vaisselle, achetés à crédit, faisaient leur entrée dans la maison.

Vous aviez le droit d'être riches. Comme tout le monde.

Avant, tu avais ta chambre, que tu partageais avec tes sœurs. Vous aviez vos rituels, vos secrets, votre grotte.

Tu aimais dormir nue, le corps en étoile, bras et jambes ouverts sur l'espace, pendant que de l'autre côté du mur, les garçons se battaient, puis ronflaient.

Avant, à tous les débuts d'année, ton père t'achetait une paire de souliers neufs.

Tu marchais pendant une semaine en les regardant, le cou courbé, les yeux posés sur l'éclat de tes nouveaux pieds.

Puis, il y a eu la crise.

Ta mère est allée au salon de coiffure encore une ou deux fois. Mais elle t'interdisait de consulter le téléimprimeur. Le cours de la Bourse ne semblait plus intéresser personne, la file autrefois trépignante s'était subitement dissoute.

Tu n'avais plus rien à faire au salon, tu n'avais plus de mission, et le reflet de ta mère dans le miroir, sous les mains de la coiffeuse, s'était tu.

Tu as dû traîner ton matelas dans la chambre des garçons.

Vous dormiez maintenant entassés les uns sur les autres, les secrets évaporés et les odeurs emmêlées.

Dans ta chambre, un étranger s'était installé. Vous l'appeliez le logeur. C'était l'ordre du gouvernement. Il fallait libérer une pièce pour faire place aux errants. Le logeur avait perdu sa maison. Il baignait maintenant dans ton espace, dans ta lumière, dans tes souvenirs. Tu ne l'aimais pas. Il était pauvre et il avait pris ta place.

Et puis, tu n'as plus reçu de nouveaux souliers. En début d'année, ta mère nettoyait la paire usée de ta sœur aînée. Et tu en héritais.

C'est là que tu as relevé la tête. Là que tu as commencé à regarder l'horizon.

Claudia termine de repasser ta jupe. Assise en culottes sur une chaise, tu es concentrée sur les mouvements de ton ventre. La faim s'y manifeste par vagues. Rien, et puis un tunnel vide qui se crée entre ton nombril et ta gorge.

– Mets ça on y va.

Tu saisis ta jupe bleue. Ta mère y a découpé les plis, l'a repassée en éventail. C'est beau. Tu l'enfiles et fais un tour sur toi-même. Tu es le vent.

Dans la salle paroissiale de l'église, des tables ont été dépliées.

Les familles du quartier y sont installées, et attendent patiemment leur soupe.

Tu te sens comme au restaurant. Tu t'efforces de te tenir droite, à la hauteur de ta tenue.

Tu as hâte. Tu aimes manger.

Tu reconnais presque toutes les familles autour de toi. Toutes sont élégantes. Plus qu'à l'habitude. Pas pour cacher la faim. Non, simplement pour l'accueillir avec dignité. Pour bien lui faire savoir qu'on n'a pas peur d'elle.

Le son des corps avides, se nourrissant enfin, trahit pourtant la précarité du moment. Sous les tissus immaculés, tout le monde tient sur un fil.

Il n'y a plus de travail. Les magasins sont déserts ; les banques, fermées.

Les bancs de parc et les bibliothèques se remplissent.

Ce sont les deux pôles des nouveaux chômeurs.

En allant chercher une encyclopédie pour un travail scolaire, tu contournes une vingtaine d'hommes réfugiés dans leur lecture. Ton regard s'attarde sur l'un d'eux. La barbe en friche, ses yeux bleus ancrés aux mots. Rien ne pourrait s'immiscer entre lui et ce qu'il lit. Il s'y agrippe comme un loup à sa proie. Ça saigne presque. Il ne s'agit plus d'un refuge, il s'agit d'une bouée.

Ton regard glisse sur les longues jambes de l'homme, qui te conduisent à ses pieds, nus, enveloppés dans des pages de journaux. Tu es certaine qu'il les a lues avec la même précision violente avant de les choisir pour se protéger. Il sait dans quels mots il marche.

« Nous croyons que les causes principales de la crise sont d'ordre moral et que nous les guérirons surtout par le retour à l'esprit chrétien. »

PROGRAMME DE RESTAURATION SOCIALE (1933)

Le curé Bisson a un seul sourcil, et depuis toujours, tu as envie de le toucher. Il a l'air doux.

Il fait si chaud dans l'église que son sourcil est perlé de gouttes qui feraient un joli collier.

Tu regardes le cou sec de ta mère et tu l'imagines le porter. Les deux petits os de sa clavicule en porte-manteaux. Le cou fatigué d'être penché. De regarder ce qui se lave plutôt que ce qui s'envole.

Tu remues sur le banc qui craque. Devant, le curé s'adresse à la foule avec conviction :

– Il nous faut obtenir une restauration économique qui donne du travail à tous nos ouvriers et à tous nos chômeurs. Certes, si l'ardeur de la prière, la patience à supporter la chaleur et la fatigue pouvaient seules nous faire obtenir ces changements, sans aucun doute, nos vœux s'accompliraient, mais il y faudrait ajouter la transformation de nos vies, qu'elles soient plus constamment généreuses et que le péché mortel, souvent répété, et peu regretté, ne vienne pas détruire en grande partie les beaux gestes d'un jour.

Tu as sept ans. Selon le droit canonique, tu as l'âge de la discrétion, et tu dois te confesser une fois par an, au moins.

Il fait sombre dans cette boîte-là. Ça sent le bois moite. C'est confortable. Tu t'installes. Enfin, c'est ton tour. Ça fait plusieurs années que tu observes la longue file du confessionnal, les corps alignés, figés.

Tu as toujours trouvé que les corps racontaient une histoire différente quand ils étaient en attente ici. Comme s'ils étaient déjà scrutés, espionnés.

Tu as cherché ce que tu pouvais bien raconter. C'est ta première fois. Il faut qu'il se souvienne de toi. Qu'il ait hâte de te revoir.

Tu entres dans la boîte. Tu fermes les yeux, avales l'air chaud qui t'entoure. Tu engloutis les vices des corps précédents. Un shoot de failles.

C'est ton tour. Devant toi, de fines fentes à travers lesquelles passe un filet de lumière, dans lequel tu devines ton interlocuteur.

Il te dit qu'il t'écoute.

Tu veux que ça dure.

Il te répète qu'il t'écoute. Il t'appelle sa fille.

Tu ne trouves plus les mots préparés. Alors, tu te lèves.

Et tu voudrais tant qu'il se souvienne de toi.

Tu as chaud. Tu t'approches de la grille, scrutes du regard, cherches l'homme des yeux.

Et tu sors la langue. Tu la passes lentement sur les trous. Tu cherches un chemin qui te conduira vers lui, vers la lumière. Tu laisses des traces de salive sur le bois verni. Tu glisses lentement ta langue dans chacune des fentes, et lui, de l'autre côté, ne parle plus.

Tu quittes le confessionnal, une écharde entre les dents.

Tu es légère. Il ne t'oubliera pas.

Il n'y a plus d'essence pour faire rouler les voitures.

Achille attache la sienne à ses deux chevaux. Ils seront son moteur.

L'idée n'est pas de lui, elle se répand dans le pays et on la nomme ironiquement Bennett buggy, du nom du premier ministre canadien, Robert Bedford Bennett, qui participe à l'enlisement du pays.

C'est en Bennett buggy que ton père rentre tard le soir.

Tu dors entre Monique et Claire. Claire parle pendant son sommeil. Une langue étrange, qui ressemble au latin. Toi, tu lui enfonces un bout de drap dans la bouche pour qu'elle se taise.

Claire a cinq ans. À 18 ans, elle deviendra religieuse, attachée à Dieu pour la vie.

Le sabot des chevaux en bas : ton père, Achille, qui rentre. La crise a pris son travail. Il est maintenant employé « en trompe-l'œil » : un travail inventé par le gouvernement pour contrer le chômage, qui empêche les hommes de pleurer ou de dormir à la bibliothèque. Qui leur évite une overdose de temps libre.

Achille rentre plus fatigué qu'avant. Il aimait être utile et les emplois en trompe-l'œil changent tous les jours, mais restent vains.

Aujourd'hui, il a cueilli des pissenlits. C'est une mauvaise herbe, il y en a beaucoup et partout : de quoi occuper les hommes pour quelques semaines.

Achille a dû en déraciner 5 000. Il s'est promené en ville, le regard aiguisé, à la recherche de fleurs jaunes. À devenir fou. À voir des taches d'or partout. Ce soir, Achille a des ampoules aux mains. Il a reçu huit cents pour le travail accompli. Il n'est pas chômeur. Il a gagné sa journée.

Achille aimait être professeur.

Tu aimes Achille.

Tu l'entends détacher les chevaux de la voiture, tu dévales les marches pour te lancer vers lui.

Il te dit d'aller te coucher, mais tu ne l'écoutes pas tout de suite. Tu sais que tu as encore deux chances. Tu l'aides à nourrir les chevaux.

Il te répète d'aller te coucher.

Tu lui apportes une serviette humide qu'il se passe dans le visage.

Tu lui demandes si demain, tu pourras l'accompagner.

Il te dit d'aller au lit.

Tu sais que tu dois écouter cette fois-ci.

Tu montes à l'étage.

Achille entre dans sa chambre et se couche près de Claudia. Il soulève sa robe de nuit pour toucher ses cuisses. Il retourne sa femme et se réfugie brutalement en elle. Là où il est homme, là où il est encore fier.

Claudia ne veut pas, mais elle ne le dit pas.

Claudia a 33 ans et six enfants

Claudia est la cousine éloignée d'Émile Nelligan

Claudia a les yeux noirs qui penchent vers le bas, lunes orientales

Claudia a de longs doigts qui ont joué Chopin

Claudia a des ongles courts sous lesquels s'accumule la terre des patates qu'elle pèle

Claudia ne dort plus

Claudia sait qu'elle doit faire six autres enfants pour avoir accès aux 200 acres de terres que promet le gouvernement

Claudia pense que de la terre, elle en a jusque sous les ongles et qu'elle n'en veut pas plus

Claudia ne parle plus

Claudia a les *Nocturnes* qui l'asphyxient

Claudia ne sait plus où aimer ses enfants parce qu'il n'y a plus de place

Claudia est pleine de vide

Claudia est un désert

Claudia va réveiller les plus grands

Leur demande de l'aider à installer une natte dans le corridor

Claudia dormira maintenant à côté du piano

Loin du pénis d'Achille

Tu fais la file depuis deux heures. Les tickets de rationnement ont déteint dans ta paume humide. Tu tiens ton poing fermé dessus pour ne pas les échapper parce que sinon, tout le monde aura faim à cause de toi. Tu as imaginé la scène au moins 20 fois : le ticket qui tombe, le vent qui se lève et l'emporte. Toi qui cours après. Le ticket qui vole jusqu'à la rivière et s'y aventure. Toi qui hésites et plonges.

La rivière qui te mange. Toi qui vogues avec les morts du cimetière.

Tu resserres ton emprise.

Avances de quelques pas.

Deux cents grammes de sucre, deux cents grammes de beurre, 1 1/3 once de thé, 5 1/3 onces de café. La ration alimentaire hebdomadaire.

La dame devant toi sent le caramel brûlé. Sa jupe frôle ton visage et tu aimes ça. Tu aurais envie de rentrer dessous. Ta petite tête collée contre ses grosses cuisses. Sa peau humide et sucrée. Tu glisserais ton ticket en lambeaux dans ses chaussettes, à l'abri. Et tu te reposerais à l'ombre de son cul.

La file progresse de quelques pas, auxquels tu butes en t'excusant.

Pendant que tu ranges les provisions, la radio commente la course de la Québécoise Hilda Strike aux 100 mètres des Jeux olympiques de Los Angeles.

Au son du sifflet, Hilda s'élance comme une flèche, véritable projectile, elle fend l'air, semant littéralement ses adversaires, qu'elle laisse derrière elle... Après deux enjambées, elle devance déjà ses concurrentes d'un mètre !

Tu interromps ton mouvement, un sac de sucre dans les mains, immobile, happée par l'envol d'Hilda.

La Montréalaise météore. La femme filante.

– Suzanne ?

Ta mère, énervée par ton immobilisme.

Hilda foudroie les records mondiaux, elle pulvérise ses adversaires, elle avale l'air sous le regard ébahi de la foule. « Hilda ! Hilda ! Hilda ! »

Mais à 15 mètres à peine de l'arrivée, Walsh, championne polonaise, la rattrape.

Les deux femmes courent maintenant côte à côte !

Walsh donne l'assaut final et l'emporte sur la Québécoise, avec une avance d'à peine deux enjambées, à peine quelques centimètres.

Claudia éteint la radio et t'invite à ranger le reste des provisions.

Tes yeux baignent dans l'eau. Tu voyais Hilda filer, tu l'imaginais s'envoler. Elle perd et te voilà brutalement campée dans un salon ordinaire, à organiser de maigres provisions, devant ta mère qui évite ton regard.

Elle n'aime pas les effusions. Elle a peur d'être entraînée. Elle ne regarde jamais une larme en face.

Pour que ça cesse vite, elle ouvre le sac de sucre et te le tend, t'invitant à y tremper un doigt. Plongeon rare dont tu profites. Le sucre se mêle au salé des quelques larmes échappées.

Tu demandes à ta mère où est le Québec.

Ta mère pointe le mur du salon.

– Par là, j'pense.

Tu restes le regard figé sur la tapisserie fleurie.

Que tu imagines éclater soudainement, pulvérisée par l'entrée fulgurante d'Hilda Strike. En shorts et en camisole, toute de muscles, brillante de sueur.

L'esquisse d'un sourire sur ton visage.

Tu iras un jour au Québec, là où les femmes courent vite.

Apprends à bien parler et tu ne seras
jamais complètement pauvre.

ACHILLE MELOCHE

Ce matin, tu accompagnes ton père qui se salit les mains. Il en est à la deuxième phase d'arrachage. Ils ont vidé le centre-ville de ses pissenlits ; maintenant, ils se rendent en bordure de campagne, là où la ville déborde.

Assise à ses côtés dans le Bennett buggy, tu tires tes épaules vers le ciel. Achille aime ce qui est droit. Quand tu t'arrondis, il te donne un coup de sa grande main dans le bas du dos.

Il dit que les canadiens-français d'Ontario sont des gens droits. C'est ce qui leur permet de survivre.

Tu fais parfois exprès de te voûter pour qu'il te touche.

La voiture avance, tirée par les chevaux, aussi rouillés qu'elle.

Tu aimes faire de la route avec Achille parce qu'il te parle. Non : il te fait parler. Ce n'est pas tant ce que tu dis qui l'intéresse. Mais comment tu le dis.

Aussi te demande-t-il de décrire ce que tu vois. Il te fait recommencer jusqu'à ce que la phrase soit parfaite. Les meilleurs mots, le meilleur ordre, la meilleure diction. Jusqu'à ce que ta phrase brille.

Même si tu décris quelque chose de sale.

Aujourd'hui, Achille arrête le Bennett buggy devant le Hole, un amas moisi d'abris de fortune. Une odeur de sardines et de pisse sèche flotte dans ce qui reste d'air. De la musique... Les Boswell Sisters?... griche au loin. Quelques cordes à linge éparses prennent soin des haillons d'une famille en mode survie.

Le Hole a l'air d'avoir 1000 ans, mais il est neuf. Le Hole est l'un des premiers bidonvilles du pays.

Achille y a garé sa Bennett et refuse que tu le quittes des yeux. Il veut que tu le regardes.

Il veut que tu trouves les mots que tu ne connais pas pour en parler.

Tu dis: bois, ferraille, horreur. Tu dis: rat, rire, musique. Et puis: triste, mouillé, fin du monde.

Un enfant avance pieds nus dans la boue.

Tu dis: papa, je veux partir.

Achille te demande de quoi tu as peur.

Il ne bougera pas tant que tu ne trouveras pas. Du haut de tes six ans, tu cherches ici ce qui t'effraie.

Le petit garçon tend la main vers toi. Il veut de l'argent. Tu baisses les yeux.

Tu dis que tu ne sais pas où regarder, que partout où tu poses ton regard, tu donnes de l'ampleur au malheur, tu le fais exister plus fort.

Le petit garçon tend toujours sa main sale vers toi.

Tu t'accroches à ton père, quémandes son aide. Qu'il te refuse.

Alors, tu prends la main du petit garçon dans la tienne. Et d'une voix scolaire, te présentes :

– Je m'appelle Suzanne.

Le petit garçon s'arrache à toi avant de déserter dans les méandres de son trou.

Ton père hèle son vieil attelage, qui repart.

Il est satisfait.

Tu as trempé ta langue dans la saleté.

Vous laissez derrière vous le trou, et ceux qui y croupissent. Mais dans ta bouche, le goût de merde et de vies écorchées s'accroche.

C'est ça qu'il voulait.

Que tu y goûtes, que tu en aies mal au cœur, pour que tu fasses tout pour ne pas y finir.

Un champ de pissenlits. Une vingtaine d'hommes s'y affairent déjà. Tu remontes ta jupe et sors de la voiture. Tu suis ton père, qui salue en anglais ses quelques compagnons d'infortune.

Et tu te mets à l'ouvrage. Il faut déraciner la fleur, donc l'attaquer par la racine. Tu veux être bonne, tu travailles de tes deux mains.

Autour, on converse vide, l'anglais se mêle au français, le terrain vague se défait rapidement de ses pissenlits.

Un homme te regarde travailler. Ses yeux sur ta peau. Une planque à sa virilité. Un espace où être mâle.

Tu cherches ton père du regard, concentré, plus silencieux que les autres.

Il empile les mauvaises herbes pour en faire un feu où un peu de lui brûlera aussi. Il se consume déjà, délié de toi.

Tes doigts deviennent jaunes.

Tu ne peux compter sur personne. Tu devras apprendre à courir.

Tu aimais les pissenlits, avant. Tu en faisais même des bouquets au printemps. Tu trouvais que c'était une fleur vaillante, la première à pousser, à braver les restes d'hiver.

Une fleur simple, sans prétention. Elle te plaisait avant de devenir prétexte à un faux travail. Avant qu'elle ne rende ton père amer.

Tu arraches les fleurs avec une violente précision. Tu venges ton père.

À la fin de la journée, une montagne de pissenlits brûle. Le feu n'est même pas beau. N'inspire même pas la fierté du travail accompli. Juste une fumée noire et tristement vaine.

Vous repartez.

La Bennett buggy avance paresseusement sur les chemins de terre, vers ta maison. Au passage, tu effleures le Hole du regard.

Tu te demandes si Hilda Strike aurait pu y naître.

Et l'idée te vient qu'elle aurait peut-être battu Walsh, si elle avait d'abord appris à courir pieds nus, dans la boue.

Tu t'endors sur l'épaule chaude d'Achille, dont le silence t'apaise.

Il fait froid et faim. On ne veut pas d'enfants quand on a froid et faim.

La première clinique de planification familiale ouvre ses portes en 1932 près de chez toi. C'est une jeune femme, Elizabeth Bagshaw, qui décide que sa cuisine deviendra un comptoir d'information pour les familles épuisées. Les jeunes femmes cernées s'y succèdent, leurs enfants en constellation autour d'elles.

Elizabeth leur explique l'usage du condom, elles rougissent, pouffent timidement. Encore faudra-t-il convaincre leur mari.

Tu es assise au balcon quand un matin, la police surgit chez elle et l'emmène. Elle ne reviendra jamais dans ton quartier.

Tu te souviendras de ses poignets menottés, de ses yeux intelligents, de ses fesses rebondies et de sa voix grave. Dans cet ordre-là.

Trente janvier, midi. Tu as huit ans. Pendant qu'Adolf Hitler est nommé chancelier de la République de Weimar, ta mère accouche de son septième enfant.

Achille aura réussi à plonger son sexe en elle, qui crie aujourd'hui pour en sortir un nouveau-né.

Tu fais les cent pas dans le salon.

Claudia souffle. On ne l'entend jamais autant que quand elle accouche. C'est peut-être pour ça qu'Achille veut encore lui faire des enfants. Parce qu'il se rappelle ainsi qu'elle est en vie. Qu'elle sue, qu'elle sent, qu'elle hurle.

Après, elle s'éteindra à nouveau.

Tu poses le bout de tes doigts sur le piano. Tu n'as pas le droit, ça lui fait mal.

Mais tu aimes ce qui est défendu.

Tu presses une note qui s'étend impertinemment dans la maison.

Un temps. Dans la chambre, Claudia se lamente.

Tu presses une autre note. Puis une autre encore.

Tu sais qu'elle ne peut pas se lever. Tu aimerais lui jouer une symphonie. Tu plaques tes mains entières sur le clavier du piano, tu saisis les notes à pleines poignées, n'en laisses pas une tranquille. Elles t'appartiennent pour un moment et tu les embrasses.

Tu écrases tes bras, puis ton ventre contre les touches, puis tu déposes tes cuisses nues sur le clavier froid, tu veux le réchauffer, tu veux te réchauffer, tu montes sur le piano, tu avances sur les notes et tu te sens géante.

Dans la chambre, des pleurs : c'est un garçon.

Dans la chambre, un cri : Claudia te dit qu'elle va te tuer.

Tu aimes l'école. Pour une raison étrange d'abord : tu aimes regarder les gens de derrière. Observer les nuques. Tu t'assois au fond de la classe, parce que la pente raide des cous anonymes te rappelle leur fragilité. On dirait que de derrière, la fissure est inévitable.

Les imaginer brisés te rapproche des autres.

Dans ton cours de dessin, le professeur s'applique à vous apprendre à tracer une pomme et un chapeau.

Tu te questionnes sur la pertinence du duo. Pourquoi faire cohabiter une pomme et un chapeau ?

Tu dois utiliser une règle, un compas et une gomme à effacer. C'est obligatoire, souligne le professeur.

Tu t'appliques.

Tu es bonne élève.

Pour finir, le chapeau parfait côtoie la pomme parfaite. Tu regardes ton dessin parfait. Ta mère l'affichera sans doute au mur du salon.

Tu trouves qu'un peu de couleur lui ferait du bien.

Autour de ton ongle droit, la peau s'épluche. Tu tires dessus. Ça saigne un peu. Tu étales le sang sur la pomme et le chapeau.

Voilà. Parfaits et rouges. Parfaits et ensanglantés.

Le professeur est outré. Toi, si propre, si parfaite.

Il déchire ton devoir et t'envoie réfléchir dans le corridor.

Debout devant la fenêtre, tu comptes les fientes des pigeons qui s'accumulent entre toi et dehors. Tu te dis que la vie est sale, et que c'est comme ça que tu l'aimes.

Vous êtes tous rassemblés autour de la table de la cuisine, que ta mère termine de nettoyer.

Devant chez toi, des Anglais jouent au hockey, leurs cris de conquérants entrent dans ta maison et tu es sommée d'arrêter de remuer. C'est le moment du petit catéchisme en famille.

Aujourd'hui, Achille vous raconte le péché originel, ou l'épreuve de la liberté.

Vous êtes huit debout autour de la table, parce que debout, il est moins facile de s'endormir.

Quand il commence à parler de Dieu, Achille change de visage. Ça te fait toujours sourire. Il redevient le professeur qu'il a déjà été. Concentré, s'efforçant d'articuler avec précision. Il se réfugie dans cet exposé familial où il se sent encore utile. Tu ne sais pas s'il croit véritablement à ce qu'il dit, mais il se donne, inébranlable, entier.

Claudia, elle, écoute en hochant la tête, zieutant chacun de ses enfants, maîtresse de leur attention. Elle est la seule qui reste assise. Ses jambes sont caduques. Claudia peut s'écrouler à tout moment.

Achille se racle la gorge, lève légèrement son menton, et commence :

– Dieu a créé l'homme à son image. Créature spirituelle, l'homme ne peut vivre cette amitié que sur le mode de la libre soumission à Dieu. C'est ce qu'exprime la défense faite à l'homme de manger de l'arbre de la connaissance du bien et du mal, « car du jour où tu en mangeras, tu mourras ».

Ta sœur Claire boit ses paroles, qui la tiennent en haleine. Elle semble même un peu effrayée.

Toi, tu trépignes déjà. Du sang coule entre tes jambes. Tu es une promesse de femme. L'idée te plaît. Tu as envie d'explorer ce pays-là.

Tu es coincée au bout de la table. Le coin de bois t'effleure le sexe.

– L'homme dépend du Créateur, il est soumis aux normes morales qui règlent l'usage de la liberté. Tenté par le diable, il a laissé mourir dans son cœur la confiance envers son Créateur et, en abusant de sa liberté, a désobéi au commandement de Dieu.

Achille poursuit, la voix plus grave.

– L'Écriture montre les conséquences dramatiques de cette première désobéissance. Depuis ce premier péché, une véritable invasion du péché inonde le monde...

Tu presses le coin de table sur ton sexe et c'est agréable.

Ta mère se lève soudain d'un bond, renversant la table dans son élan. Tu sursautes. Ta sœur Claire crie.

Achille, coupé dans son élan, redevient vulnérable. Il redresse doucement la table, questionnant sa femme du regard.

Claudia te fixe. Elle replace sa jupe de ses mains tremblantes, et s'excuse à Achille d'une petite voix, toujours sans te quitter des yeux. En le sommant de continuer, elle t'invite d'un geste maîtrisé à quitter la table et t'envoie aux casseroles.

Tu te diriges vers la paroisse, tirant un sac de jute derrière toi. Il contient trois casseroles. C'est la façon dont ta mère a décidé de s'impliquer dans la guerre qui se prépare. Elle fait don honorable de ses casseroles. Le besoin d'aluminium est criant: ses casseroles seront transformées en navire de guerre.

Tu es fière d'être la courroie de transmission de cette alchimie.

Et puis, ça te donne espoir. Imaginer une casserole qui fend les flots et pourfend l'ennemi, elle qui était destinée aux fourneaux.

Toi aussi, un jour, tu te transformeras en navire de guerre.

Tu marches dans la rue, tes jambes n'ont jamais été si longues. Tu as 14 ans, l'âge des possibles, qu'on croit éternel.

Tu ne poses pas les pieds sur le sol, tu l'effleures et te propulses élégamment dans l'espace qui t'entoure, le faisant tien.

Tu règnes légèrement sur le monde, avec une assurance désarmante.

Tu entres dans ta classe, salues ton professeur d'un sourire franc, et prends place à l'avant.

C'est jour d'exposé et tu es désignée pour briser la glace, ce que tu aimes déjà faire.

– Nous sommes en guerre, proclames-tu solennellement.

Tu as mis du rouge à lèvres. Tu trouvais que parler de la guerre était une occasion parfaite pour porter du rouge à lèvres.

Tu as d'ailleurs la nette impression que les mots sortent enveloppés de ta bouche. La nouvelle est puissante, mais le récit que tu en fais semble délicat. Tu choisis tes mots avec parcimonie, tu les cueilles du bout des doigts, mais ils s'installent dans ta bouche en maîtres, et s'en expulsent ornés, comme fiers d'avoir été choisis.

La classe entière est suspendue à toi. Ils savaient déjà, n'apprennent rien de neuf, mais cette façon que tu as d'honorer la langue les capture.

– William Lyon Mackenzie King a l'intention de mobiliser les forces armées et l'économie canadiennes pour appuyer l'effort de guerre. En septembre, il avait cependant déclaré qu'il n'imposerait pas nécessairement la conscription. Notre premier ministre se disait alors sensible aux opinions des Canadiens français sur la conscription. Nous sommes toujours contre. Malgré tout, ce matin, il a fait volte-face... et a annoncé la mobilisation de tous les hommes célibataires, dans un délai de trois jours.

En sortant de l'école, tu entends résonner les cloches de l'église. Tout est déréglé, un chaos effervescent règne sur la ville.

Au premier coup d'œil, le parvis de l'église ressemble à un bateau de croisière. Une centaine de jeunes y fourmillent dans des tenues colorées, le geste désorganisé, le rire nerveux.

Tu t'arrêtes, tentant de décoder le tableau. Tu remarques alors les deux prêtres qui essaient d'organiser la masse mouvante.

Et puis ton regard s'aiguise et tu vois les vêtements de mariés rafistolés, réinventés.

On les a sortis des coffres des parents, on a superposé une robe et une chemise de nuit pouvant à peu près s'accorder. On se marie en groupe. Plus que quelques heures pour cesser d'être célibataire. Quelques heures pour éviter la guerre.

Sur une table sont déposés des gâteaux blancs et durs, faits avec tous les coupons de ration de sucre, quémandés en vitesse à la famille entière des mariés improvisés.

Conscients de leur pouvoir, les prêtres courent et se sentent utiles comme jamais. Ils distribuent des *pour le meilleur et pour le pire* et savourent les pudiques baisers des rescapés.

Tu regardes la masse flasque et sucrée. Trop de dentelles, trop de rires, trop de bonheur.

Toi, tu te dis qu'à choisir, tu préfères la guerre.

Les cris de joie fusent et se mélangent à la sirène du black out qui enveloppe le quartier.

On joue à la guerre : c'est une répétition.

On n'en a pas encore peur. La sirène recouvre la musique et les cloches de l'église.

Il faut s'abriter, c'est pour se pratiquer. La flaque de mariés s'évapore mollement. Toi, tu trouves refuge dans l'église. Le confessionnal est vide et tu t'y installes, le temps de laisser passer l'alerte.

Le son grave des sirènes pénètre timidement dans l'église. Il semble feutré, comme s'il n'y était pas invité.

Tu t'endors.

Un grincement et tu sursautes.

– Allo ?

La voix du curé :

– Ma fille, souhaitez-vous vous confesser ?

Tu te redresses.

– Oui, mon père.

– Allez-y.

– J'ai pratiqué des actes obscènes, mon père.

– Sur vous-même ou avec un autre ?

– Sur vous-même, mon père.

Tu souris. Tu aimes le silence qui suit.

Dehors, le ciel se couvre, tu te dépêches. Tu passes à côté de l'usine où travaillent des femmes. Tu t'arrêtes pour les regarder. Leurs gestes ont la rigueur de la petite aiguille à l'horloge du salon. Fins et précis. Des mains féminines exactes.

Elles fabriquent des armes. Transforment les casseroles en navire de guerre.

Elles portent le béret et leurs vêtements adoptent la coupe sobre des lignes militaires.

Elles ont la prestance des grandes ballerines. L'élégance du geste utile.

Elles sont aussi un stimulus, une récompense. Les hommes qui partent au front se battent aussi pour elles : leur beauté participe à l'effort de guerre.

Tout au fond, tu crois apercevoir Hilda Strike, en habit de course, le corps élancé et la présence guerrière. Elle lève les yeux vers toi.

Il pleut. Tu rentres en marchant lentement.

La radio, dans la cuisine :
« À 5 h 45, la flotte de l'opération Neptune a ouvert le feu sur les défenses allemandes.

À 6 h 30, les premières vagues d'assauts américains touchent les plages d'Utah et d'Omaha. En secteur britannique et canadien, l'attaque a été lancée avec une heure de décalage en raison de l'heure différente de la marée.

Nous ne pouvons actuellement comptabiliser les pertes, mais le Mur de l'Atlantique semble partout enfoncé sans rémission, et les Alliés pénètrent à l'intérieur des terres d'une dizaine de kilomètres. »

Ta mère, tes sœurs et toi, debout sur des chaises, un chiffon à la main. Vous lavez les fenêtres.

Tu es sidérée par l'écart possible entre deux vies. Ce matin, un soldat courait dans la mer de Normandie, valsant avec une mort possible, priant sa mère de veiller sur lui.

Tu regardes la tienne. Elle semble toute fine, sans dimension. Tu pourrais la prendre et la froisser. Elle remarque ton regard, qui lui fait plisser les yeux, agacée. Elle détourne la tête, comme si tu lui envoyais trop de lumière. Elle te renvoie au travail d'un geste furtif, te pointant l'empreinte grasse d'un insecte.

Un oiseau s'écrase alors dans la fenêtre trop propre. Il s'écroule sur le balcon. Tu es émerveillée, tu aimes les surprises. Tu sors à toute vitesse. L'oiseau est là, inerte. Tu n'oses pas le toucher devant ta mère, tu sais qu'elle te lavera à l'eau de Javel.

Mais c'est elle qui se penche vers l'animal, et qui le ramasse avec une délicatesse que tu ne lui connais pas.

Elle a arrondi ses paumes et l'oiseau s'y love, comme s'il était taillé pour ces mains-là.

Et puis, tu ne sais plus qui retient qui. Est-ce l'oiseau qui ramasse ta mère ou l'inverse ? Pour un moment, ça n'est plus clair.

Ils semblent liés, à la manière des sculptures de verre. Figés dans la fissure du temps où l'idée de la mort devient furtivement limpide. Tes sœurs ne bougent pas, toi non plus. Posées dans l'unicité du moment, juste avant que la vie ne reprenne son cours normal.

Puis, la voix de ta mère émerge :

– Suzanne, la poubelle.

Elle veut s'en débarrasser, soudain, et tout de suite.

Tu obéis. Tu vas chercher la poubelle dans la maison, reviens en la lui tendant. Elle y jette l'oiseau mort d'un geste sec, comme on se sépare d'un mauvais souvenir.

Puis elle rentre dans la maison se laver les mains. Qu'elle frotte longtemps. Tu la regardes, de dos, la nuque prête à fendre.

Tu l'imagines émiettée par terre. Tu aurais fait pareil. Tu l'aurais ramassée, miette par miette, tenue au creux de tes mains, et bien vite tu l'aurais jetée à la poubelle.

Tu noues le sac d'un geste solennel, et tu vas le porter sur le bord du chemin.

Edmond Robillard fait son noviciat chez les pères dominicains de Saint-Hyacinthe. Il offre ses services de directeur de conscience aux jeunes qui auraient besoin de conseils dans l'orientation de leur morale.

Tu iras le consulter à quelques reprises. D'abord sous la pression parentale, mais ensuite pour le plaisir.

Les pères dominicains habitent et prient dans une grande bâtisse grise au coin de ta rue. Tu passes devant au retour de l'école. Les portes te sont ouvertes, tu peux aller t'y poser.

Hyacinthe, son nom de religion, t'amuse. Et son col roulé lui va bien. Tu ne le lui dis pas, mais ne t'empêches pas de le regarder.

Ce que tu aimes du col roulé, c'est imaginer ce qu'il y a derrière. Ce cou long et droit, ces quelques veines fines et mauves, délicates, presque élégantes.

Tu sais que ton regard sur son cou trouble Hyacinthe, et ça aussi, tu aimes ça.

Tu le visites donc au passage, quand tu as le cœur léger.

Lui, il te pose des questions. Sur ce qui t'occupe et ce qui te plaît, mais toujours pour cerner ce en quoi tu crois.

Il te sait brillante. Tes résultats scolaires en témoignent.

Il sent que tu es promise à un avenir prodigieux, si tu contiens ces élans fauves, qu'il devine déjà en toi.

Hyacinthe comprend cependant que de te retenir te fera du tort.

C'est donc lui qui propose à tes parents de t'inscrire à un important concours d'art oratoire, qui aura lieu à Montréal.

Il pense que tu y as ta place.

L'idée de prendre le train, et celle encore plus vive de rencontrer la ville d'Hilda Strike, te rend profondément heureuse.

Achille et Claudia acceptent.

Tu ne les as jamais autant aimés.

Tu as 18 ans.

Tu as verni tes bottines, et tu portes un canotier offert par Claudia, pour l'occasion. Achille s'est rasé la barbe, s'est parfumé. Il ne te dira pas qu'il est fier, mais tu le sais.

Tu le salues comme si tu partais loin, et longtemps.

Tu montes dans le train, accrochée à ta petite valise. Ta main mouillée.

Tu avances dans le corridor, effleurant les visages sur ton passage. Ton regard laisse des traces, mais tu ne le sais pas encore. Héritage de ton père : un regard qui écume et qui s'imprime un temps.

Derrière la fenêtre, Achille te suit des yeux. Sa grande fille qui parle bien s'en va parler ailleurs. Tu t'assois et le regardes. Il te semble sur le bord de pleurer, mais il a l'âge des yeux humides, alors tu n'en es pas certaine.

Le train démarre et tu ne regardes déjà plus ton père. Tu gardes le cap sur l'avant.

Le paysage se déroule et s'éloigne, tu avales tout des yeux tranquillement. Tu sens que tu es à ta place, pour la première fois. Installée dans le mouvement des choses.

Les heures passent sans que tu te lasses, le corps apaisé par ce qui avance.

Tout devient alors possible.

Tu te lèves, souveraine. Et tu marches lentement dans le corridor mouvant du train. Tu es enracinée, immuable.

Tu explores. Sur ton chemin : un homme seul, assoupi.

Tu prends place à ses côtés. Ta cuisse frôle la sienne. Tu le regardes dormir. Sa tête oscille au gré du chemin. Tu lui saisis doucement la mâchoire et l'entraînes vers le creux de ton épaule, que tu lui offres.

Il y reste un temps, puis en émerge. Tu l'empales de ton regard. N'as pas besoin de lui sourire. Tu te présentes :

– Je m'appelle Suzanne.

Il te reçoit brutalement en entier, comme un trop-plein de femme offerte. Il balbutie son nom que tu ne retiens pas, car tu t'en fous. Tu lui souris finalement avant de te lever, et de poursuivre vers un autre homme seul.

La salle du Gesù est pleine. Ça te surprend. Tous ces jeunes qui passent une soirée à venir en écouter d'autres parler.

Le public est installé face à une scène nue, éclairée sobrement, où se succèdent déjà les candidats.

Chacun d'eux fera le discours qu'il veut, défendant, pendant 10 minutes, un thème de son choix. L'important, c'est le style et la rigueur.

Un grand jeune homme est déjà debout sur la scène. Il porte une veste noire qui lui fait de larges épaules, qu'il tient ouvertes sur la foule, le torse en offrande.

Ses cuisses aussi semblent légèrement ouvertes, ce qui donne l'évasive impression d'un corps en chute. Le public se doit instinctivement d'y être attentif, pour le saisir au vol.

Les mots fusent de sa bouche de façon lente et vaste, et s'immiscent, telle la lave suave et grasse d'un volcan, dans chaque auditeur.

Personne ne peut y échapper.

À la fin de son discours, les applaudissements tardent à venir, les corps étant amortis par la puissance de la rencontre.

Appuyée contre le mur, tu es émue. Impossible pour toi de résumer le contenu du discours. Il y était vaguement question de systèmes de pensée et de mondes à inventer...

Mais cet homme-là, dans sa chute contrôlée, t'a subjuguée.

C'est à ton tour. Tu traverses les mètres qui te séparent de la scène, et déjà, tu sens que tu coules un peu. Tu connais bien ton texte et tu te sais capable de le livrer.

Mais soudain, cette foule-là te semble bien étrangère. Tu n'es pas sûre qu'elle t'aime. Tu n'as pas eu le temps de t'en assurer.

Tu montes les trois marches et te retrouves plus haute qu'eux tous.

Au fond de la salle, ton regard tombe sur celui qui contrôlait si bien sa chute quelques instants auparavant. Il te scrute avec sérieux. Pourtant sa solidité est auréolée d'une fissure certaine. À laquelle tu t'abreuves.

Et tu plonges. C'est de la fin de la guerre que tu parles. De la liberté qu'elle a amenée aux femmes, enfin sorties de chez elles. Tu sais que ça choque : la place des femmes est à la maison.

Les mots naissent ronds dans ta poitrine et s'humidifient dans ta bouche. Tu les projettes généreusement dans la salle, tu les offres : goûtez-y.

On t'écoute ; d'abord frileux.

Tu t'interromps un court instant, spontanément. Il te manque quelque chose. Tu sors un bâton de rouge à lèvres et t'excuses, le temps de te colorer la bouche d'un rouge carmin. Quelques rires, à peine, dans la salle. Tu assumes. C'est l'élégance qui manquait à tes mots. Tu passes de fille à femme et tu reprends là où tu t'étais interrompue. Les ouvrières de ton usine se raffinent alors, leurs gestes deviennent plus élancés, presque envoûtants. Une page historique vient de se tourner pour toutes. Elles peuvent être femmes et ouvrières.

Tout de toi raconte maintenant une ère nouvelle. Tu te tiens droite, et malgré ta peau diaphane, on a l'impression que tu viens d'inventer le monde. Tu évoques les possibles et c'est bouleversant que quelque chose d'immense et d'invisible naisse d'une présence effilée comme la tienne.

Tu termines. On se lève et t'ovationne.

Tu remportes le concours d'art oratoire.

Le jeune homme à la chute savamment contrôlée vient te féliciter. De près, il a encore l'air de tomber. Il se présente : Claude Gauvreau.

Il t'invite à passer la soirée chez des amis. Ravie, tu acceptes.

Dans le salon d'un petit appartement, rue Mentana, quelques jeunes fument et discutent. Par terre sont étalés quelques dessins.

Tout de suite, tu as envie de rester. De faire tiens ce nuage de fumée, cette couronne de paroles.

Ils sont une dizaine, surtout des garçons, mais tu regardes d'abord les filles. Elles sont trois. Tu les trouves simples et distinguées. Claude te les présente tour à tour. Il y a Marcelle Ferron, Françoise Sullivan, puis Muriel Guilbault. Elles lèvent un bref regard vers toi, ne feignent pas la chaleur, t'invitent simplement à t'asseoir.

Les hommes sont captivés par une discussion animée, autour des encres qui gisent pêle-mêle sur le plancher. Les dessins étalés ne ressemblent en rien à ce que tu connais. Ils sont une invitation à s'y perdre. Tu comprends qu'à l'extérieur de ces murs, on y voit une offense. Tu te sens soudainement privilégiée de traîner avec les offenseurs.

Ce qui est échangé semble avoir de l'importance, mais les œuvres sont jetées là, en pâture à la discussion. Tu aimes bien cette rupture entre l'idée et l'objet.

Claude, qui visiblement atterrit ici, cessant momentanément de tomber, te présente Pierre, son frère, puis Jean-Paul Riopelle et Marcel Barbeau. Ils ont tous à peu près ton âge.

Marcel se renseigne sur le concours d'art oratoire. Claude hausse les épaules, et te pointe.

– J'ai perdu.

Tu sais que tu devrais sourire, mais c'est le genre de moment où tu ne te rappelles plus comment. Tu ne fais donc qu'habiter l'instant, et un bref silence de reconnaissance s'installe autour de toi.

Monsieur Borduas, qu'on te désigne comme l'hôte et qui, jusqu'alors, était un peu à l'écart, s'approche et t'offre un verre de vin.

– Félicitations, te dit-il.

Il a une vingtaine d'années de plus que les autres. Petit, il a le front ample et le regard triste des gens trop intelligents, dissimulé sous des sourcils noirs en broussaille. Tu saisis tout de suite qu'il est le roi.

Et toi, tu veux que les rois t'aiment. Tu le suis du regard. Il retourne à ses quartiers, un peu en retrait du groupe de jeunes où la conversation reprend. On se questionne sur la qualité des nouvelles encres de Jean-Paul. Sur leur explosive subjectivité. Tu n'y comprends rien, mais tu nagerais dans ces idées-là toute ta vie. Elles te rafraîchissent.

Marcel, d'un geste farouche, dépose une esquisse au sol. C'est à son tour.

Les commentaires fusent. Personne ne dit s'il aime ou pas, on cherche plutôt à placer des mots sur l'abstraction présentée. D'où est-elle née ? Doit-elle survivre ?

Toi, tu trouves ça fabuleux. Tu y vois une aspérité voluptueuse dans laquelle tu t'étendrais volontiers.

Borduas s'approche alors du cercle. Il jette un œil à l'encre de Marcel qui, sous tension, se suspend à ses lèvres. Puis il te regarde. Tu soutiens son attention.

Tu dis que tu trouves ça beau. Que tu as très envie de te coucher dedans et de te faire avaler.

Borduas rit. Un rire sobre et spontané. Ça semble rare, car tout le monde reste d'abord choqué, avant de se donner la permission d'en faire autant.

Il est minuit et il semble entendu par tous que c'est l'heure où l'on s'éclipse.

Le vin a continué de tendre les liens. Marcelle, joviale, t'a apprivoisée. Elle t'embrasse chaleureusement.

Borduas s'est retiré dans ses quartiers après t'avoir tendu l'encre de Marcel, en te souhaitant bonne nuit. Marcel, tapi en escargot dans sa coquille, se cache derrière sa fumée. Tu lui demandes s'il accepte de te donner son encre, qui te plaît. Il maugrée un oui caverneux.

Claude propose de te raccompagner à la gare.

C'est sur le quai, au milieu de la nuit, que vous convenez de vous échanger quelques lettres, qui changeront le cours de ta vie.

Dans le train, de retour vers Ottawa, tu as l'impression qu'il n'y a que toi qui bouges et que le reste est immobile. Une nuit épaisse rayonne dehors. Tu tiens l'encre aspirante de Marcel serrée dans ta poche. Tu as un geyser dans le ventre et rien autour ne semble capable de l'accueillir.

Tu ne savais rien de Montréal. Rien qu'Hilda Strike et des miettes de Duplessis.

Tu ne sais pas grand-chose de plus. Sauf une porte ouverte sur des corps mouvants, qui parlent fort dans un nuage de fumée, qui goûtent et partagent le vin en réfléchissant à des formes obscures et invitantes.

Tu sais aussi que ces gens-là te redonnent le goût de l'autre.

Tu étais une île, et tu sens que tu as peut-être un pays.

Tu reviens donc chez toi en ébullition. Les jours reprennent leur cours, mais tu les traverses autrement. Portée par le courant. Tu sais maintenant que tu as un ailleurs.

Ce que tu ne sais pas, c'est que tu en auras toujours un, et jamais le même. Ce sera ta tragédie.

Tu reçois une première lettre de Claude. Il a tenu sa promesse. D'une plume amicale, il s'emporte contre le climat de contrainte dans lequel il évolue. Il crache sur la censure, dénonce la loi du cadenas qui bafoue tous ses élans artistiques. Il semble se plaire dans son rôle de trublion.

Dans un post-scriptum enflammé, il t'invite à lire Lautréamont et son Maldoror, alter ego du diable. Excité à l'idée de connaître toutes les publications de l'auteur proscrites par Duplessis, Claude en a fait son héros et avoue fièrement qu'il a réussi à s'en procurer un exemplaire.

Il t'en cite quelques extraits. C'est visqueux et moderne. Tu n'aimes pas ça. Et tu te dis que toi aussi, tu aurais interdit ces écrits-là.

L'audace t'interpelle tout de même. Mais ce qui te séduit vraiment, c'est l'enthousiasme espiègle de Claude. C'est à lui que tu te désaltères.

C'était une journée de printemps. Les oiseaux répandaient leurs cantiques en gazouillements, et les humains, rendus à leurs différents devoirs, se baignaient dans la sainteté de la fatigue. Tout travaillait à sa destinée : les arbres, les planètes, les squales. Tout, excepté le Créateur. Il était étendu sur la route, les habits déchirés. Sa lèvre inférieure pendait comme un câble somnifère ; ses dents n'étaient pas lavées, et la poussière se mêlait aux ondes blondes de ses cheveux. Engourdi par un assoupissement pesant, broyé contre les cailloux, son corps faisait des efforts inutiles pour se relever. Ses forces l'avaient abandonné, et Il gisait là, faible comme le ver de terre, impassible comme l'écorce.

[...] L'homme, qui passait, s'arrêta devant le Créateur méconnu ; et, aux applaudissements du morpion et de la vipère, fienta, pendant trois jours, sur son visage auguste.

Les Chants de Maldoror

CHANT III, STROPHE 4

Tu apprends qu'on a brûlé des corps par milliers. Qu'ils partaient vivants par train, en famille. Qu'ils ne revenaient pas.

On en parle à demi-mot dans les endroits clos. Il paraît qu'une fine pluie de cendres blanches tombait sur les villes avoisinantes.

L'immense gouffre qui te séparait de l'horreur se creuse dans ta poitrine.

Les gens sortaient-ils leur parapluie ? Ou leur langue curieuse, laissant s'y déposer le goût métallique du sort humain ?

Depuis quelques jours, on chante et on s'embrasse dans les rues. La guerre est finie. Ici, les mères retrouveront leurs fils, et les femmes, leur amant.

Au départ, tu t'appliquais à lui répondre. Tu travaillais ta syntaxe et peaufinais ton récit. Tu voulais qu'il sache que ça comptait pour toi.

Puis, inspirée par ses missives, tu as progressivement lâché prise. Des mots étrangers se sont mis à cohabiter, des idées à se fondre l'une dans l'autre jusqu'à devenir floues; même ta calligraphie s'est ensauvagée.

Il te lisait et y prenait plaisir. Un pont invisible et mobile vous reliait maintenant.

10 mai 1945

Cher Claude,

Quel plaisir de te lire, torrentiel et fou.

Tu m'inspires le risque et je plonge.

Ma main froide comme un tremblement de terre.

Tourments contenus.

Les victoires mort-nées dans le lugubre chantonnent un sourire incontrôlable.

Un doigt qui tremble au bord.

Je veux toucher la blessure comme un coussin de plumes.

Voici le revers de ma main
Comme une liqueur.

Suzanne

Tu reçois une lettre de Montréal. Elle n'est pas de Claude, mais du collège Marguerite-Bourgeoys, où tu es acceptée. Tu y compléteras ton cours classique.

Tu sais que tu ne reviendras pas chez toi. Et tu ne le caches pas. Tout de toi raconte un adieu. La façon dont tu poses tes yeux trop longtemps sur tes sœurs, puis tes frères. Ton demi-sourire à ta mère qui ne bouge pas, qui évite de te regarder, qui travaille toujours à contenir ses larmes. Ton geste furtif et maladroit vers elle, pour ajuster son tablier froissé au lieu de l'embrasser. Puis, la froideur que tu laisses lentement se déposer entre eux et toi. Elle jaillit de toi, de source nordique, glaciale, friable. Les liens se figent et se cristallisent : tu te découvres le pouvoir de la rupture franche.

Tu plonges ton regard de roc dans celui d'Achille, les cheveux hirsutes et la barbe rêche. Cette fois, il te garderait bien près de lui. Mais il hoche la tête, mince protestation contre la lourde immobilité des départs. Et d'un geste pesant, mais aimant, il te pointe la porte. Il te laisse partir, avec le regret du pêcheur qui remet sa meilleure prise à l'eau. Celle-là était trop sauvage pour lui.

Enveloppée de fierté, tu franchis le seuil de la porte sans glisser.

Puis, d'une élégante volte-face, tu t'avances vers le piano et tu y joues une gamme, debout, dans un ultime et éternel dos à dos avec ta mère. Tu joues une gamme legato, que tu laisses vibrer d'un coup de pédale appuyé.

Pas tant comme un défi. Plutôt comme une invitation.

1946-1952

*

Montréal a quelque chose de toi. La langue, peut-être, d'abord. Toi qui aimes tant les mots, tu es ici en ton pays.

Contrairement à ton bord de rivière, ici, la langue française fait l'objet d'encensement et de louanges de toutes sortes. On la célèbre dans des congrès, on fonde des sociétés pour sa défense, sa conservation, son épuration...

Ton père serait fier de te voir baigner en cette terre où la langue est un joyau.

C'est au bras de Claude que tu découvres la ville. Il t'entraîne partout. Il a le pas long des défricheurs, tu as l'impression qu'à chacun d'eux, il enjambe un fleuve ou un fossé. Tu le suis comme tu le peux, le bras en crochet autour du sien.

Il fend l'air, tête baissée. S'emporte, torrentiel, contre tout, contre tous et contre lui surtout.

Ça te fait rire, mais il ne s'en rend pas compte, tant il est épris de ses intenses envolées. Quand il reprend son souffle, tu en profites pour te jeter dans son champ de vision, avec le désir réel qu'il se rappelle à qui il parle. Et quand tu réussis à ce qu'il te voie, quand son focus enfin se fait sur toi, alors tu ne sais plus où te mettre. Tu cherches à dire, tu cherches à faire. Ça n'est pas tant lui qui t'intimide, mais cette vie nouvelle dans laquelle tu t'immisces et de laquelle tu ne connais rien encore. Tu te sens enfant dans un projet trop grand. Qui t'excite et qui t'effraie.

Vous arpentez la ville en tramway, sans but précis. Claude joue pour toi au guide touristique, te déballe sa ville à voix haute, comme un cadeau infini.

Vous sautez d'un tramway à l'autre, tu te glisses parmi les corps inconnus, te laisses envelopper de leur présence anonyme. Tu t'appuies contre les voyageurs, pressant ta nuque ou la chute de ton dos contre une épaule ou une hanche.

Tu aimes le poids des autres sur toi. Tu y déposes ton empreinte. L'abandonnes aux quidams qui se succèdent. C'est ta façon de t'inscrire dans un nouveau paysage.

Vous descendez au hasard, entrez dans une papeterie, essayez tous les crayons en leur prêtant des vers inventés à quatre mains, bifurquez au détour d'une ruelle où le temps s'arrête sur une femme flétrie, aux mouvements ralentis, occupée à tailler ses fleurs d'aubergines avec la minutie d'une dentellière, puis vous grimpez sur les toits pour escorter la cité jusqu'à la nuit, en partageant une du Maurier.

Un soir, Claude t'entraîne à La Hutte, un petit bar du centre-ville. Ses amis l'y attendent.

Tu es nerveuse à l'idée de devoir exister devant tous ces étrangers. Tu as l'impression de laisser derrière toi un tracé boueux. L'impression que tout de toi ne raconte rien.

La Hutte est un endroit chaleureux. Tu es rassurée en y entrant. Plusieurs longues tables sont alignées, des groupes de jeunes y sont attablés, partageant une seule bière chaude qui tourne durant des heures.

C'est une place de pauvres qui ont envie de rire. Une place où on les laisse faire. Tu as le droit d'être là.

Tu te caches derrière Claude qui enjambe toujours des océans pour rejoindre sa tablée.

Autour, de beaux visages. Dont certains te sont familiers.

T'abandonnant à ton sort, Claude s'assoit à côté de Muriel, que tu reconnais de l'atelier de Borduas. Tu te sens perdue. Tu hésites entre faire demi-tour et enlever ton chandail pour montrer tes seins.

C'est Marcelle qui se retourne vers toi et qui, d'un geste vif, t'invite à prendre place. La bière est à ta hauteur, et elle te tend une gorgée :

– Vite, avant qu'elle passe au suivant !

Tu t'assois. Tes jambes sont au chaud sous la table. Le petit corps fluet et nerveux de Marcelle inscrit le tien en contraste. Et lentement, tu prends racine.

Au centre de la table, un sandwich bleuté. Marcelle t'explique en déferlante, les mots se bousculant entre ses lèvres minces : c'est le sandwich à Duplessis !

Ici, il est obligatoire de manger pour boire. Alors, le même sandwich baloney-pain blanc trône en faire-valoir au centre de la table. Au fil des jours, voire des semaines. En est devenu la mascotte du lieu !

Marcelle t'étourdit dans un joyeux babil qui te réchauffe et qui, doucement, t'invite à te déposer.

En face de toi, Marcel, toujours ténébreux. Il ne te regarde pas, concentré à absorber les propos sérieux de Jean-Paul, long et porté vers le ciel, le visage anguleux, des yeux sombres qui semblent regarder au-delà des murs.

Marcelle te donne un coup de coude, amusée.

– Pis, lequel tu choisis ? te demande-t-elle, l'œil coquin.

Tu l'aimes déjà, cette fille.

– J'hésite... lui réponds-tu, souriante.

Ton regard se tourne vers Claude, installé à l'extrémité de la table. À ses côtés, Muriel, rousse et sauvage. Animée et suave. Claude la dévore des yeux.

– Oublie-le, rigole Marcelle.

Tu ne peux t'empêcher de remarquer les seins ronds et invitants auxquels Claude s'abreuve maintenant.

Muriel est comédienne. Elle est la matière première de Claude. C'est lorsqu'elle s'approche de lui que s'interrompt sa chute. Sans elle, il est en perpétuel déséquilibre.

Toute femelle que tu es, tu as du mal à te résoudre à cette ombre portée sur toi. Mais celle-là est entretenue par un soleil de plomb, contre lequel tu ne peux rien.

Marcelle te demande ce que tu fais dans la vie. D'où tu débarques. Elle a toujours ce regard amusé, porte les cheveux courts en bataille, et remue ses pieds sous la table comme une enfant nerveuse. Elle t'inspire confiance. Parce qu'elle te sourit, ou parce qu'elle ne t'est pas menaçante ? En tout cas, tu as envie d'être son amie.

Tu lui réponds que tu débarques d'Ottawa. Que tu es... étudiante. Et que tu écris aussi, parfois. Bouffée de chaleur.

Marcelle est ravie par ta réponse. Une poète ontarienne. Elle trouve ça exotique.

Elle lève l'unique verre de la table en direction de la tenancière suisse et lui crie :

– Ce verre est vide, remplissez-le, c'est ma tournée ! À la santé de la petite Ontarienne !

La soirée avance, le procès de la censure est entamé pour la énième fois, sans que rien de véritablement neuf soit soulevé. On se plaît à critiquer, et on le fait avec verve.

Tu n'oses pas avouer que Maldoror, tu l'aurais toi aussi mis au ban.

Jean-Paul et Claude s'enflamment, deux coqs au combat, chacun oubliant même ce qu'il défend, se contentant de saisir les mots et de les faire détoner.

Ils sont beaux et fiers. Leurs envolées, riches et profondes. Tu es prise à la fois d'un pénétrant vertige et d'une pointe de fierté. Tu as une place à cette table-là.

Tu te retournes vers Marcel, toujours silencieux.

Tu lui dis que tu as toujours son encre. Il possède un court instant ton regard, qui glisse sur tes joues, sur le dessin de tes lèvres, pour terminer réfugié dans le creux de ton cou.

Marcel a une présence précise. En tout terrien. Rien d'évanescent. Il est violemment ancré, et pourtant reste insaisissable, profondément secret.

Il est effilé et se meut avec finesse. Il voudrait être l'ombre, mais capte malgré lui la lumière, qui se vautre paresseusement sur son corps anguleux.

Derrière la pâleur de sa peau, un abîme de tendresse.

Marcel est un être de verre.

Une nuit de novembre, fine et tendue. Une nuit si froide qu'elle décortique le mouvement, le ralentit.

Tu t'y abandonnes avec plaisir, en suivant Marcel et Jean-Paul, qui t'invitent en mission au port.

Animés par ta présence rafraîchissante, les deux jeunes hommes prennent plaisir à t'initier au nocturne de leur quotidien.

Il faut se faire invisible. Tu n'es pas particulièrement douée pour la chose. Le défi te plaît.

Les reflets métalliques du fleuve, la silhouette imposante des bateaux au repos, le son discret de l'eau, tout ça forme un tableau humide et onirique dans lequel tu te fonds parfaitement. Tu marches sur la pointe des pieds pour ne pas perturber l'essence du lieu.

Marcel et Jean-Paul ont un but précis. Ils viennent chercher des toiles, celles qui recouvrent les voitures tout juste débarquées sur les quais. Ils ont l'habitude. Se dirigent vers un large paquebot, dont le chargement est en attente. Et avec des gestes souples, ralentis par le froid, ils arrachent aux voitures leurs chapes de jute, qu'ils enroulent sur elles-mêmes.

Ils s'en recouvrent. Toutes les surfaces possibles de leur corps deviennent ainsi le support de ces denrées précieuses.

Un rouleau dans le cou, quatre sous les bras, ils deviennent des cloportes mystérieux, des animaux aquatiques à huit pattes, portés par de grands projets.

Tu saisis autant de rouleaux que tu peux.

Un chien aboie au loin.

Tes nouveaux amis, transformés en deux bêtes étranges, interrompent furtivement leur mouvement synchronique.

Puis redoublent d'ardeur. Vous prenez enfin la fuite à travers les cargaisons métalliques, dans le ventre de cette nuit glaciale, dont la chorégraphie te deviendra habituelle.

Car sur ces toiles de jute naîtront tes premiers tableaux.

La lumière de l'aube enveloppe maintenant la ville. Elle avive Marcel, qui s'ouvre et se déplie. Il te demande, en te regardant presque dans les yeux, si tu viens boire un dernier verre avec eux, à l'atelier.

Les marches craquent. Au deuxième étage d'un petit appartement, un hangar. L'espace est minuscule, les plafonds hauts. Le givre perle sur les murs, la lumière extérieure s'immisce au travers.

Y sont disposés partout des rouleaux de jute, auxquels s'ajoutent ceux que vous transportez. Aux murs sont épinglées des toiles peintes, comme autant d'exclamations, tranchant avec le calme du matin naissant.

Jean-Paul s'affaire à démarrer un feu dans la petite truie rouillée, qui trône au milieu de l'espace. Tu remarques, par terre, trois cercles peints.

Il t'explique que le premier, le rouge, entourant le poêle, désigne les régions torrides. Le second, vert, les régions tempérées, et le troisième, bleu, les régions froides.

Et qu'il est préférable de peindre en régions tempérées, à moins d'un désir d'émotions fortes.

Marcel, toujours emmitouflé, le crâne sous un chapeau de laine et des gants de cuir aux mains, vous sert du vin dans des tasses métalliques. Le vin te réchauffe un peu, tu t'assois dans la région torride du petit atelier, tu frissonnes. Jean-Paul te file une toile de jute dans laquelle tu t'enroules. Le petit bois, lentement, s'enflamme.

Jean-Paul partage l'atelier de la ruelle avec Marcel depuis quelques mois. Il peignait chez lui, avant que sa famille ne brûle toutes ses œuvres, estimées subversives. N'en laissant que les cadres de bois à moitié calcinés.

Marcel sort un pot de peinture, qu'il ouvre. C'est de la peinture à émail.

– Celle avec laquelle on peinture les beaux chars, dit-il en esquissant un premier sourire.

Il y trempe un pinceau, puis sur une toile accrochée au mur, se met à projeter des éclats de couleurs devant lui, dans des gestes succincts et élancés. Il danse et une pluie rouge explose sur l'ancienne couverture d'une voiture en transit.

– C'est comme ça qu'il se réchauffe, souffle Jean-Paul en enfournant une grosse bûche.

Tu termines ton vin en silence, le jour s'écoule doucement vers toi, glissant sur le vieux bois taché qu'il te plaît d'habiter.

C'est le début de ton premier hiver québécois.

Jean-Paul ronfle à tes côtés.

Tous les après-midi, après sa journée à l'École du meuble, Marcel travaille auprès de son oncle Georges, à la boucherie. Il y dépèce la volaille et y découpe les pièces de viande. Il aime ce travail physique et fait certains parallèles entre son gagne-pain et de vifs moments de création. Les mains dans la chair rouge, il assène des coups de couteau tranchant aux justes endroits, tailladant ce qui autrefois était vivant pour lui donner une nouvelle forme, de son cru. Il pense peu et suit l'intuition du geste.

En ces temps difficiles, il manie le couteau sur de plus vieux animaux, conduits à la boucherie par des maîtres affamés.

C'est le cas d'Octave. Un cheval. Pas particulièrement racé, mais gentil. Octave avait eu une capacité au travail étonnante, ce qui lui valait une affection marquée de la part de ses maîtres, qui étaient de bons chrétiens. C'est-à-dire qu'ils avaient douze enfants conçus dans le devoir, sans trop se regarder, enfants qui se plaisaient aujourd'hui à compter les anges et à multiplier les prières en classe de maths, comme prescrit.

La photo de Maurice Duplessis était la première chose que madame Pion, maîtresse du cheval Octave, s'employait à épousseter au lever.

Elle lui adressait alors un sourire de soumission teinté de désir. L'homme de sa vie, c'était lui...

Inutile de dire que la famille Pion fut passablement déstabilisée quand, en 1939, Maurice fut écarté du pouvoir et dut céder sa place aux libéraux d'Adélard Godbout.

Jamais le portrait de Maurice ne quitta sa place au salon, et les Pion continuèrent à vivre dans un déni inconfortable, se plaisant à penser que leur roi régnait encore et que le Québec se portait bien.

Lorsqu'une petite délégation duplessiste vint visiter la famille Pion, un matin frais de l'hiver 1943, Octave était penché sur sa moulée et profitait de son déjeuner.

De la fumée sortait de ses narines, un gel fin perlait sur la pointe de ses oreilles. Il était bien.

Les trois hommes s'arrêtèrent à sa hauteur pour le zieuter de la tête aux pieds avant d'aller boire un thé dans le salon des Pion. Derrière leurs cravates, ils confirmèrent auprès des Pion que ceux-ci souhaitaient le retour de Duplessis. Monsieur Pion s'employait à choisir de beaux mots pour les conforter dans leur désir, madame Pion papillonnait autour, tentant de dénicher quelques vivres à disposer sur la table.

Les trois hommes restaient sérieux, campés dans leur stature d'enquêteurs, le sourire calculé et le geste précis.

Puis, rassurés, ils se levèrent pour partir. Et, sur le pas de la porte, le plus grand d'entre eux demanda à madame Pion si elle avait déjà perdu des enfants. Madame Pion interrompit subitement tout mouvement.

– Oui.

L'homme lui demanda des noms.

Madame Pion murmura les noms des trois enfants qu'elle avait perdus. L'homme les nota, peinant à cacher une certaine satisfaction.

Puis, survint une dernière question : le vieux cheval, dehors. A-t-il un nom ?

Cette fois, c'est monsieur Pion qui répondit.

– Il s'appelle Octave. Il n'est pas si vieux.

L'homme nota le nom du cheval. Sur la même ligne, ceux des enfants. Puis, poliment, la délégation s'éclipsa. Octave les regarda s'éloigner dans l'hiver.

Le 30 août 1944, Maurice Duplessis fut reporté au pouvoir.

Malheureusement, madame Pion refusa d'exercer son droit de vote tout nouvellement acquis, car sa place, et elle y tenait bien, était à la maison.

Et puis, Maurice l'avait bien dit : le droit de vote aux femmes est inconstitutionnel, puisque l'Acte de 1791 stipule que seules les « personnes » peuvent voter et que la définition du mot « personne » ne s'applique qu'au sexe masculin.

On dit aujourd'hui que les noms de plusieurs enfants morts et enterrés auraient participé à la victoire de Maurice Duplessis, grossissant artificiellement les rangs des électeurs.

On sait de source sûre que sur la liste électorale figurait aussi le nom d'Octave Pion. Cheval de trait de formation.

Des années plus tard, devenu maigre et inutile, il fut conduit à l'abattoir, où son corps autrefois vaillant fut découpé, puis expédié à la boucherie Saint-Antoine, où était employé le jeune Marcel qui, cet après-midi-là, y travaille de façon effrénée.

Il doit emballer les pièces d'un cheval entier pour le curé qui reçoit à souper, et quitter à temps pour la première du spectacle *Bien Être*. Tout le groupe a travaillé des mois entiers sur cette pièce écrite par Claude, et c'est ce soir qu'ensemble, ils brisent la glace. Marcel doit aider à monter le décor, et il angoisse à l'idée de ne pas y arriver à temps.

Dans la petite piaule que tu loues, tu attends Claude. Les murs autour de toi restent vides : tu te refuses à aménager ton nouvel espace. Tu te plais dans le mouvement des choses. Ta valise reste donc ouverte, tes vêtements pliés dedans, les tiroirs, vides.

En après-midi, Claude passe te chercher. Tu vas lui donner un coup de main pour préparer la salle.

Au détour, vous passez cueillir Marcel, que vous trouvez toujours les mains dans le sang. C'est son décor, c'est lui qui l'a inventé, personne ne peut le monter sans lui.

Claude passe derrière le comptoir. Marcel y emballe de larges pièces de viande dans des feuilles de journaux. Facile. Claude l'imite afin d'accélérer le processus. Tu te joins à eux.

D'abord du bout des doigts, commençant par de petites pièces, que tu enveloppes délicatement dans le papier usé.

Claude y va de grands gestes, égal à lui-même. Il s'élance dans la lecture du texte imprimé servant à emballer une cuisse musclée :

– Aujourd'hui comme il y a 1000 ans, l'Église est seule capable de sauver le monde !

Tu souris, termines d'enrouler un filet et attrapes les abats que te tend Marcel.

– Le christianisme a ce qu'il faut pour faire face aux problèmes de tous les temps : c'est la seule doctrine qui convienne parfaitement à l'homme parce qu'elle répond à tous ses besoins et tient compte de toutes ses faiblesses.

Tu saisis une page de journal et y disposes le cœur doux et encore chaud de l'animal. Tu aimes le contact de la viande sur ta main. On y devine la vie passée. Tu serres le poing autour du cœur avant de l'emballer.

Claude rugit maintenant, poursuivant la lecture des pages ensanglantées :

– Nous, surtout, les catholiques, nous qui avons la chance de posséder la vérité, nous avons le rigoureux devoir de la faire rayonner !

Marcel rit. Tu lui trouves un sourire large aux dents délicates, bien dessinées. Et son rire est friable. Rare et précieux.

Octave est maintenant emballé en plusieurs pièces. Le curé fait son entrée, jovial. En client habitué, il salue familièrement Marcel qui lui remet l'animal découpé en lui souhaitant bon appétit.

Vous avez les mains collantes. Claude te demande si tu as envie de l'entendre lire un article qui t'est tout désigné, intitulé « Le foyer, votre empire, mesdames. »

Tu déclines l'offre : il faut y aller. Marcel ferme boutique, laissant derrière vous le sang d'Octave et les mots de *L'Action catholique,* lecture assidue de sa mère rédigée par les secrétaires appliqués de Duplessis.

L'éveil de la sensibilité artistique
ne peut venir faire ombrage
à la formation technique.

JEAN-MARIE GAUVREAU,
DIRECTEUR DE L'ÉCOLE DU MEUBLE

Borduas a mangé dans son local, comme il le fait souvent. Un sandwich à la main, préparé par sa femme, il arpente le lieu en survolant les gouaches, encres et fusains de ses élèves.

Il s'y attarde parfois, explorant l'éclat d'un essai, la retenue d'un autre. Il note ce qu'il y a à améliorer. Il choisit les mots qui pourront donner la pulsion sans trop en dicter la direction. Parfois, il lui arrive d'être ému. Alors, il prend le dessin dans sa main, le rapproche de lui, le rencontre.

Mais aujourd'hui, il quitte l'école plus tôt qu'à l'ordinaire. Il doit se rendre au spectacle de ses élèves. Il les a aidés à imaginer le décor, a assisté à la confection des costumes. Écrit par Claude, il devine le texte ambitieux.

Il ferme la porte à clé, toujours. Marque de considération pour le travail de ses élèves. Convaincu qu'il laisse derrière lui certaines œuvres prometteuses.

Dans le corridor, il est intercepté par le directeur de l'école.

Celui-ci l'invite à s'asseoir dans son bureau. Borduas explique qu'il n'a que peu de temps. Mais Jean-Marie insiste : c'est important.

Borduas prend place, contrarié.

Jean-Marie apprécie Borduas et reconnaît son talent. Mais certains professeurs continuent de se plaindre : quand ils héritent de ses élèves, ils ont l'impression que ceux-ci n'ont rien appris des méthodes de base.

Borduas connaît la chanson. Il a eu vent, plusieurs fois, des supposées défaillances de son cursus.

Il reste calme : son enseignement est orienté vers l'individu, vers le processus créateur. Celui de ses collègues l'est plutôt vers le produit fini, vers l'objet à fabriquer. Ces deux approches devraient pouvoir se compléter.

Jean-Marie semble désolé.

– Nous sommes à l'École du meuble.

Paul-Émile réplique, incisif :

– On y fait du dessin, de la décoration, du design, bien plus que du mobilier. Je sais que plusieurs de mes élèves souhaitent rompre avec le monde du géométral, qu'ils découvrent en contradiction avec la spontanéité de l'acte créateur, mais...

Borduas est interrompu par son supérieur : la volonté de rupture avec la technique fait jaser, et nuit à la réputation de l'école. Ses heures de cours seront réduites.

Borduas remercie sèchement le directeur et s'éclipse. Il ne veut pas être en retard au spectacle.

La pièce est présentée au Congress Hall, sur le boulevard Dorchester. Tu repasses les costumes pendant que Marcel termine d'ériger les décors.

Nerveux, accroupi dans un coin, Claude murmure son texte.

Muriel, habituée à la scène, fait quelques exercices de voix. Tu aimes la regarder, elle est une porte ouverte, une chorale, un feu d'artifice. Toi, plus floue, plus secrète, aimantée des entrailles, tu lui envies cette présence brûlante, sacrificielle.

La pièce la met en scène, toute de blanc vêtue. Elle s'y marie avec Claude.

La salle est presque pleine, les lumières s'éteignent en douceur, minutieusement tamisées par Marcelle.

Le décor oscille quand Claude fait son entrée, explosif, retrouvant la puissance de la chute permanente, entièrement offert au public auquel tout son corps demande d'ouvrir les bras pour le saisir.

Tu es assise à la cinquième rangée, à côté de Borduas.

Muriel rejoint Claude sur scène, magnifiée dans sa robe virginale.

Claude déclame son texte comme un hymne, savourant chaque mot, conscient de leur fragilité :

– Des mains dans l'abîme qui font des feuilles. C'est un mariage. La coupe débordante d'amour sur le perron comme des algues. Un ruisseau de nuages plonge dans les cœurs : martin-pêcheur. Les guirlandes dans les joues, la paix sculptée dans les profils inquiets de l'existence. Femme en sucre.

Et là, explosif : un rire. Rapidement suivi d'autres, comme si, soudain, la permission de tout briser venait d'être donnée.

Déstabilisé, Claude tend la poitrine et ouvre son corps, en position de bataille. Il lève la voix, enchaînant les mots. Muriel le soutient du regard, encadre son monologue de sa présence de feu, réchauffe sa chute.

– Femme aux ongles de chocolat, aux cils d'armistice, tu es à moi. Je suis le phoque qui a plongé dans les ruisseaux de sirop. Battue imperméable hachée comme des notes de flûte.

Le public, progressivement, s'effrite. La salle se vide. On repart avec les bribes d'un récit, des bouts de textes lacérés. On critique cette forme-là qu'on ne reconnaît pas, qu'on ne comprend pas. Cet essai douteux qui tente de libérer la langue. On a peur de la folie. On a besoin de repères. S'aventurer en de nouveaux territoires créatifs, franchir effrontément les balises établies par les académiciens, ça relève de l'indécence puérile et ça n'a résolument rien d'artistique !

Dans la salle, il ne reste qu'une dizaine de personnes. Claude et Muriel poursuivent un peu pour elles, beaucoup par fierté.

Tu les regardes tomber ensemble. Tu aperçois Marcel, dans l'ombre de ses décors. Face au vide.

Tu tournes le regard vers Borduas. Il est resté. Il écoute, la tête légèrement penchée sur le côté. Émane de lui une douceur certaine, que tu ne lui connais pas. Il semble recevoir le moment en entier, être baigné des mots de Claude, de la force tranquille du duo, des ombres le supportant, et du vide qui se fait progressivement dans la salle.

Il sent ton regard posé sur lui et se retourne. Il a les yeux humides, l'éclat d'un projecteur noyé dedans. Il est calme. Le calme de celui qui vient de faire un choix.

Les derniers mots sont envoyés dans la salle creuse, les comédiens quittent la scène comme on délaisse un champ de bataille.

Borduas se lève et applaudit.

Tu fais comme lui.

Notre maître est le passé.

L'ABBÉ GROULX

Il faut stopper l'assassinat du présent
et du futur à coups acharnés de passé.

PAUL-ÉMILE BORDUAS

Tu commandes deux grandes bières. Claude a la mine basse. Il s'est écroulé sur le plancher d'une salle vide. Personne n'a saisi ses mots, personne n'a accueilli sa chute.

Muriel parle beaucoup, et trop vite. Sa façon à elle de se battre.

Ses grands yeux sont entrés en dedans d'elle, en fuite. Son corps seulement autour, qui continue de gesticuler, sans ancrage.

Marcel lui dit de se taire, mais il ne parle pas assez fort pour qu'elle lui fasse de la place. Jean-Paul attrape les longues mains de l'actrice au vol et les plaque sur la table. Il lui répète doucement de se taire.

Tu bois la moitié de ton verre, presque d'un coup, et le fais tourner vers Marcel, qui semble avoir traîné l'ombre avec lui, maintenant blotti dedans.

La porte s'ouvre sur un bout de tempête, suivie de Borduas. C'est rare qu'il mette les pieds ici. Il vient s'asseoir avec vous.

Il vous regarde, appréciant chacune de vos présences. Il te regarde aussi. Il te parle aussi, à toi.

Il remercie Claude pour son texte. Qui n'est peut-être pas bon, mais qui est vif. Déstabilisant, rafraîchissant.

Il commande sept bières, bientôt distribuées à chacun.

Il vous dit que vous avez raison. Que c'est dans la prise de risque qu'on avance. Qu'on ne peut pas créer avec une intention.

Il boit deux grandes gorgées. Tu fais comme lui.

Qu'on ne peut pas planifier l'effet qu'on veut produire.

Toi, tu voudrais qu'il te remarque. Mieux : tu voudrais le posséder.

Borduas parle sans vous regarder, mais en s'adressant précisément à chacun de vous. Il vous dit que s'assurer de l'accueil favorable d'une œuvre en se conformant à des normes esthétiques prédéfinies, c'est lâche. Et que donc, ce soir, vous avez fait acte de courage.

Tu ne te sens pas courageuse. Mais d'être incluse dans son regard te donne de la force.

Tu bois ta bière froide, d'un coup, en fixant Borduas, magnifiquement volubile. La mousse coule au fond de ta gorge, ta langue, envahie par l'amertume des bulles.

Il est beau quand il parle. Il devient plus grand, comme si son corps s'étirait en même temps que ses idées.

Et dans le silence, il redevient petit, et nu. C'est là que tu voudrais le saisir et l'avaler.

Un début d'ivresse t'en donne la permission. Sous la table, tu presses ta cuisse contre la sienne.

Tu murmures dans ton verre, pour toi toute seule, mais vers lui tout de même.

– *Vin à la coupe de fièvre. Me voici, arquebuse tendue sur les fils, comme une dentelle.*

Tu hausses la voix, dans un élan assumé et amusé :

– *Voici le souffle !*

Tu t'installes dans ton audace, tu plonges. Claude, en face de toi, te reçoit.

– *Un homme au bord de la danse. Un condamné aux chaînes de soleil. Un lutin à la bouche de lune.*

Marcelle, à ses côtés, glousse de plaisir, t'invite à poursuivre.

Ton regard perfore celui, ravivé, de Borduas, et ne le laisse pas s'échapper. Ta voix est douce et précise.

– *Je danse comme un maniaque, joyeuse acrobatie de mousseline. Les bras, la jambe, le cou vers la pointe des aspirations.*

Borduas te répond, te soutient, sous la table il appuie son corps contre le tien.

Puis Marcelle applaudit, éclate d'un rire radieux.

On prend ta suite. On plonge dans les mots, on se les envoie sales et bruts, volatiles et mutilés, on les avale et les recrache, on les fait s'envoler, on les love, les caresse et les viole.

Borduas commande à boire à nouveau et vous arrose. Il veut qu'en vous pousse le sauvage. Sa main maintenant se pose sur ta cuisse.

Marcel te regarde et tu sais qu'il te trouve belle. Tu es enfin la reine.

Borduas lève son verre à l'anarchie resplendissante ! Qui redonnera à chacun la responsabilité de son destin !

La patronne vient vous avertir de baisser le ton. Ça devient dangereux.

Borduas est allé retrouver sa famille, mais vous avez poursuivi la soirée entassés les uns sur les autres à l'atelier.

Des toiles de jute recouvrent le sol, certains y peignent, d'autres y écrivent. L'endroit est exigu, et cette nuit-là a besoin de chaleur.

Tu t'endors, emportée dans un bourdonnement qui te devient familier et rassurant.

Quand tu te réveilles, il fait jour. Autour de toi, des couleurs. Tu as l'impression de te réveiller dans une forêt en automne, sous un vent fort. Seuls le bruit de caresse d'un pinceau et le souffle d'un homme habillent l'espace qui, soudainement, te semble immense.

Autour de Marcel, toujours agenouillé, une dizaine de tableaux fraîchement peints. Il est happé par son geste, entièrement offert à l'œuvre naissante. Des petits sons viennent ponctuer les élans de son pinceau. Des pointes gutturales, venant de loin, de sa forêt à lui, là où il aime se perdre. Encore installée dans un demi-sommeil, tu te plais à observer cet homme longiligne et animal, les cheveux en broussaille et le geste léger. Il ressemble à un oiseau.

Tu refermes les yeux, l'abandonnant à cet envol, que tu devines important.

C'est la voix de Claude qui te réveille cette fois. Il est debout, à côté de toi, en pyjama, les bottes encore aux pieds. Il tient une cafetière fumante dans ses mains. Il est émerveillé par ce qu'il trouve. Les toiles peintes sont maintenant accrochées aux murs, et Claude arpente l'espace exigu, avalant des yeux chaque tableau, impressionné par la spontanéité du geste. Il n'a jamais vu ça nulle part avant. Marcel est calme, ses traits, reposés ; il a fait bon voyage. Il sourit, te regarde. Il dit n'avoir jamais peint dans une joie aussi parfaite.

Tu pointes un tableau, que tu trouves particulièrement touchant. Tu dis que tu ne savais pas qu'une explosion pouvait être rassurante, et c'est pourtant ce que te fait ce tableau-là. Marcel murmure que c'est un peu ce que tu lui fais aussi. Il ne te regarde pas – trop pour lui –, mais sait que cette phrase-là s'est rendue à toi.

Vous vous assoyez tous les trois dans la zone tempérée dessinée autour du poêle, et partagez une tasse de café.

L'automatisme n'a jamais eu aucun point
de départ figuratif. Son monde est le monde
intérieur. Une projection vers l'extérieur
du monde intérieur. Le surréalisme repose
sur une figuration du monde intérieur.
L'automatisme sur une non-figuration
du monde intérieur.

CLAUDE GAUVREAU

Tu passes la matinée à la librairie Tranquille. Ses portes ouvrent tôt et il est bienvenu d'y flâner, errant de livre en livre, de page en page. Henri Tranquille est presque toujours installé à son bureau où s'empilent ses correspondances. Il s'affaire à préserver ses liens avec la France et l'Angleterre. À ne pas perdre le fil de ce qui s'y écrit. À entretenir les fissures, permettant aux mots de voyager malgré certaines interdictions.

Ainsi, sous son bureau, Tranquille cache Sade, Rimbaud, Hugo, Lamartine, Voltaire, Balzac. Même Lautréamont. Tous mis à l'index par le clergé, parfois pour hérésie ou immoralité, d'autres pour licence sexuelle ou théories politiques subversives.

Henri Tranquille a lu tous les livres de sa librairie, et sait en parler.

Tu aimes toucher les livres, sentir le papier mordre tes doigts. Tu butines les mots d'un auteur à l'autre. Quand le moment est opportun, tu t'approches de monsieur Tranquille et il glisse sa main sous son banc, t'offrant précieusement un exemplaire proscrit, à consulter sur place.

Ce jour-là, dans un coin, Marcel, Claude et toi lisez à voix basse des passages de Balzac. Henri surveille la porte d'un œil flottant, habitué au risque qu'il se plaît à prendre.

Toi aussi, tu aimerais que tes mots brûlent le papier, tu aimerais avoir un livre qui existe sur une étagère, quelque part, avec ton nom dessus, un livre assez vivant pour déranger. Marcel te dit que tu devrais publier tes poèmes. Claude l'approuve.

– Tu devrais publier ta poésie, Suzanne.

Duel

Claude : – Les gueux de Ginglan ont des stoufres stabulères. Sur des Dauzéates élimés et concaves le peu de pontrébourre clame le costaud castucla.

Suzanne : – Le regard catastrophique du destin mirobène. Route d'éripèle ! Adieu, croconphiles, sampouloques, mirconsoles. Adieu, carlipèdes tuméfiés, tumeurs échancrures, vernissage maculé.

Suzanne Meloche fut la première femme
à se livrer à une écriture automatiste,
à des recherches phonétiques non éloignées
de celles de Gauvreau.

FRANÇOIS-MARC GAGNON,
Chroniques du mouvement
automatiste québécois

Marcel a mis une nappe par terre. Vous partagez un saucisson et un verre de vin. Des pas résonnent dans la cage d'escalier. Claude ouvre la porte. Enthousiaste, il s'excuse de ne pas avoir pu résister. Il est accompagné de Borduas. Il voulait qu'il voie.

Marcel se lève, salue timidement son professeur, emmitouflé dans une longue écharpe. Tu te lèves aussi. Borduas t'effleure des yeux sans te saluer. Il a déjà les yeux rivés sur les toiles accrochées. Marcel lui offre d'enlever son manteau. Borduas ne répond pas. Il fait face aux tableaux. Son corps crispé se détend à la façon du toréro tentant d'amadouer la bête. Il s'approche d'une toile, la prend dans ses mains, la rapproche de son corps. La rencontre.

– C'est de la merde.

Puis, d'un ton professionnel, tentant de se rattraper, il ajoute :

– Il faut que ça soit un objet sur un fond allant jusqu'à l'infini.

Il regarde enfin Marcel. Tu décèles dans ce regard-là une perte d'équilibre. Tu comprends alors de façon certaine que Borduas ne pense pas ce qu'il dit. Et qu'il craint l'homme qu'il regarde en ce moment. Comme un père qui réalise que son enfant a grandi trop vite.

Claude tente de s'interposer, affirme dans un élan cavalier que Borduas tente d'imposer une formule, que c'est injuste.

Mais Marcel lui ordonne de se taire.

Borduas parcourt une dernière fois des yeux les murs de peintures, dérangé. Il s'apprête à partir, s'arrête net devant un petit carré de jute découpé et épinglé au mur de bois. Tu y as griffonné quelques mots avant de t'endormir.

Il se retourne furtivement vers toi, te fixe un millième de seconde, puis sort.

Lumière au prisme infiltré sous le vitriol de la lune.
Les cachets de rubis sur ma lèvre croissent comme une étincelle fulmineuse.
Un filet de veine amoureuse sur la langue.

À peine la porte refermée, l'écho des pas de Borduas encore imprimé dans l'espace, Marcel s'empare d'un pinceau qu'il enfonce furieusement dans de la peinture d'émail blanche, épaisse. Un blanc docile, qui devient guerrier. Qui vient s'écraser en crachats sur les toiles à peine sèches. Claude retient Marcel, le supplie de ne pas faire ça. Mais rien n'arrête l'envolée fracassante, et Marcel fait peu à peu disparaître ses automnes inspirés, perdus à jamais.

Claude, abattu, quitte l'atelier.

Toi, tu te déshabilles et te places devant l'impétueux tableau. Devant cette œuvre qui te bouleverse, tu te tiens nue et droite, ta peau diurne en bouclier.

– Tu devras me passer dessus.

Marcel te reçoit tout entière. Il ne fuit rien de ce que tu lui proposes. Son bras tendu vers le ciel, figé dans l'intemporalité que lui offre ton corps.

Puis, doucement, il passe le pinceau sur ton sein, descend jusqu'à ta hanche. C'est tiède et onctueux. Ses yeux suivent le mouvement lent et frémissant du pinceau qui te rencontre. Il tremble.

Il dépose son pinceau et poursuit sa caresse, colonisant lentement ta peau, de ses longues mains féminines.

Tu glisses à ton tour tes mains sur son ventre, en douceur d'abord, le décryptant comme un livre rare. Puis tu t'y déposes, tu embrasses de ton corps tout ce qu'il t'est possible d'attraper. Tu enveloppes de tes bras, de ton ventre, de ton sexe et de ta bouche cet homme éclaté, cet oiseau fulgurant que tu fais tien, au milieu du blanc douloureux des toiles éteintes.

Vous faites l'amour sous le *Tumulte à la mâchoire crispée,* magnifiquement rescapé.

Ce tableau-là passera à l'histoire.

La fin de l'année approche et Marcel ne peint plus. Bon élève, il soumet son projet de thèse, qui lui permettra d'avoir son diplôme d'ébéniste.

Messieurs, voici mon projet de thèse: Maison pour artiste-peintre. Pouvant loger 4 personnes. Un couple et leurs 2 enfants.

1er Living room
2e Salle à manger
3e Chaises pour la terrasse
4e Cuisine (Plan standard)
5e Chambres
6e Atelier

La composition des meubles sera très simple; ils seront fonctionnels.

Réfugié en lui-même, Marcel panse difficilement sa blessure. À l'École du meuble, Borduas a retrouvé avec lui sa chaleur d'antan. Comme si rien ne s'était passé. Mais Marcel évite les pinceaux, se rabat sur la matière. Il érige ses premières sculptures, taillade le bois et macère la terre. Ce goût de saisir lui vient de toi.

Marcel ne peint plus, sauf le soir, sur ton corps. Dans l'atelier qu'il surchauffe, il t'apprivoise à coups de longues envolées opaques.

Vous habitez la région torride de l'atelier, où il t'effleure et te flirte, faisant courir la couleur sur ta peau chaude. Sa main tremble dès qu'elle s'approche de toi. Il en oublie la douleur, son ego évaporé suinte à la surface de ta chair offerte. Tu le rends fragile et volcanique à la fois.

Le soir où sa main sur toi cesse de trembler, que le trait se dépose sur ta peau sans hésitation, tu demandes à Marcel de venir habiter avec toi.

Le 7 juin 1948, tu épouses Marcel Barbeau à la paroisse Saint-Philippe. Tu as 20 ans, et deviens Suzanne Barbeau.

Ce jour-là, il pleut et vous arrivez trempés à la cérémonie, où vous n'avez invité que vos témoins : Georges, oncle boucher de Marcel, et Claude, que l'idée de fouler le sol d'une église répugne. À un point tel que tu dois le supplier pour qu'il accepte d'être ton témoin. Il s'y rend donc cravate au cou, un exemplaire de Lautréamont sous le bras, qu'il ne lâchera pas de la cérémonie.

L'odeur de bois et de boule à mites t'émeut. Le haut plafond accueille l'écho de votre union. Tu rentres le ventre dans ta petite robe mauve, tu veux être belle, tu as envie d'honorer ce moment-là.

La voix creuse du curé s'aventure dans ton histoire :

« Le sept juin mil neuf cent quarante-huit, vu la dispense de trois bans de mariage accordée par l'Ordinaire de l'archidiocèse de Montréal entre Marcel Barbeau, fils majeur de feu Philippe Barbeau et de Éliza Saint-Antoine ; et Suzanne Meloche, fille majeure de Achille Meloche et de Claudia Hudon, ne s'étant découvert aucun empêchement au dit mariage, nous prêtre soussigné, avons requis

et reçu leur mutuel consentement de mariage et leur avons donné la bénédiction nuptiale en présence de Georges Saint-Antoine, oncle et témoin de l'époux et de Claude Gauvreau, ami et témoin de l'épouse. »

Il vous invite à vous agenouiller. Claude fait la sourde oreille, causant un bref malaise dont le curé, heureusement, ne fait pas de cas.

Marcel attend d'être dehors pour t'embrasser à pleine bouche. Il goûte le pin blanc et tu as envie de l'aimer.

Quelques mois plus tard, Marcel est engagé comme ébéniste dans une petite boutique de la rue Notre-Dame. Il y fabrique de jolis meubles en bois brut, et rapporte en son cou l'odeur sylvestre de ses longues journées.

Vous déménagez au 3195 rue Evelyn, à Verdun.

Tu te promènes le long du canal et tu ponctues tes journées d'écriture. Tu aimes écrire par terre. Étendue ou accroupie. Tu sens que les mots, ainsi, ne peuvent t'échapper.

Le soir, Marcel entre et vous faites l'amour avant de manger. Il sent la sciure de bois et a les mains rugueuses.

Il veut que tu lui lises ce que tu écris. Tu le fais. Il aime ça :

– Fais lire à Borduas.

Mais non, tu n'es pas prête.

Les feuillets noircis de mots s'accumulent dans tes tiroirs. Tu aimes que cette avalanche-là reste à toi. Au moins encore un temps.

Je cueille les sons échevelés à la mesure champêtre. Je cultive les tremblements comme des perles. Je vis les attentes candides au bord du chavirement. Poids pesant que l'écrasante fraîcheur de mon écho, comme une assiette éclatante. Libre pensée porteuse en fragile faïence. La nappe m'offre son coin de fruits répandus. J'ouvre les doigts comme une dentelle. Le frôlement des galops m'effeuille. Profondeur attouchée, si blanche.

Marcel sort un pinceau. Il veut peindre. Ça faisait longtemps que ça ne lui était pas arrivé. Tu l'aides à dérouler une toile par terre. Il en découpe un petit carré, de la grandeur d'une feuille de papier. Il veut illustrer ton poème.

C'est ce jour-là qu'il recommence à peindre.

Le Québec est devenu un champ de ruines,
les Canadiens français sont devenus un petit
peuple, dont le destin est fixé par d'autres.

PAUL-ÉMILE BORDUAS

À la fin de l'été, vous êtes convoqués à l'atelier de Borduas. Sans invités inattendus.

Ce rendez-vous secret et solennel te plaît.

Quand tu arrives, tenant la main de Marcel, c'est lui-même, Borduas, qui vous ouvre. Les cernes creux dessinés sous ses yeux semblent un support pour son regard, plus trouble qu'à l'habitude.

Vous rejoignez les autres au salon. Claude et Muriel sont déjà là ; Pierre, Marcelle et Jean-Paul aussi. Vous vous assoyez en attendant les autres. Règne le silence des choses en devenir, que tu n'oses pas briser. Même Claude se fait discret.

Borduas surveille à la fenêtre. On n'arrive pas en retard à un rendez-vous comme celui-là. Quelques minutes plus tard, tout le monde y est. Borduas barre la porte et tire les rideaux.

Il vous remercie de votre présence, et distribue une légère pile de feuilles, qu'il vous invite à lire. Il a assez attendu. Il veut publier, et c'est avec vous qu'il veut le faire. Il souffre de vous voir tenus à l'écart de l'évolution universelle de la pensée, et dans l'ignorance des grands faits de l'histoire.

Dans sa voix, de la douleur. Un léger tremblement, même, que tu ne lui connais pas. La fébrilité du grand saut. Qui fait de l'ombre aux convictions.

Toi, tu sens au contraire que l'histoire s'ouvre à toi comme jamais dans ta vie. Que tu quittes enfin les rives boueuses de ton quartier ouvrier. Et que le Québec que tu rencontres est vif. Et en construction.

Entre deux élans vocaux, Borduas semble retenir la naissance d'un sanglot. Tu aimerais le voir pleurer. Décarapacé en entier.

Il se retourne et vous dit de prendre le temps de lire son texte. Et de décider si vous le signez. Il referme la porte derrière lui et sort faire une marche dans la nuit.

Vous n'avez qu'un exemplaire dactylographié. Vous êtes 19. Claude se propose de vous en faire la lecture à voix haute. Mais certains ne sont pas d'accord et souhaitent un premier lien plus intime avec le texte.

Vous vous installez donc au salon. Et pendant trois heures, vous faites tourner les pages, dans un silence complet.

La situation t'amuse en même temps qu'elle te déconcerte. Tu sens que tu avances en funambule sur un fil de l'histoire.

Les frontières de nos rêves ne sont plus les mêmes.

[...]

Rompre définitivement avec toutes les habitudes de la société, se désolidariser de son esprit utilitaire. Refus d'être sciemment au-dessous de nos possibilités psychiques et physiques. Refus de fermer les yeux sur les vices, les duperies perpétrées sous le couvert du savoir, du service rendu, de la reconnaissance due. Refus d'un cantonnement dans la seule bourgade plastique, place fortifiée mais trop facile d'évitement. Refus de se taire – faites de nous ce qu'il vous plaira mais vous devez nous entendre – refus de la gloire, des honneurs (le premier consenti): stigmates de la nuisance, de l'inconscience, de la servilité. Refus de servir, d'être utilisables pour de telles fins. Refus de toute INTENTION, arme néfaste de la RAISON. À bas toutes deux, au second rang!

PLACE À LA MAGIE! PLACE AUX MYSTÈRES OBJECTIFS!

PLACE À L'AMOUR!

PLACE AUX NÉCESSITÉS!

Au refus global nous opposons la responsabilité entière.

D'ici là, sans repos ni halte, en communauté de sentiment avec des assoiffés d'un mieux-être, sans crainte des longues échéances, dans l'encouragement ou la persécution, nous poursuivons dans la joie notre sauvage besoin de libération.

REFUS GLOBAL (Extraits), 1948

Le murmure de ceux qui ont achevé leur lecture s'ajoute au bruissement des feuilles qui continuent de circuler.

Borduas vous a rejoints au salon, se faufilant en douce, conscient de la fragilité du moment.

Quand la dernière page est déposée, il vous demande simplement de quitter les lieux. Il veut vos réponses demain.

Il vous demande de ne pas parler de ce que vous venez de lire à l'extérieur de ces murs, et vous dirige vers la porte.

Trop incendiaire, trop à risquer. Roger Fauteux, Rémi-Paul Forgues, Yves Lasnier, Madeleine Lalonde, Pierre Mercure, Denis Noiseux, les frères Viau, amis fidèles et proches collaborateurs du groupe, refusent de signer.

Madeleine Arbour, Marcel Barbeau, Bruno Cormier, Claude Gauvreau, Pierre Gauvreau, Muriel Guilbault, Marcelle Ferron-Hamelin, Fernand Leduc, Thérèse Leduc, Jean-Paul Mousseau, Maurice Perron, Louise Renaud, Françoise Riopelle, Jean-Paul Riopelle, Françoise Sullivan acceptent de signer.

Toi aussi, tu acceptes de signer le *Refus global*. Par désir d'adhésion, peut-être. Parce que tu voudrais bien ressentir tout très fort, comme eux. Pour devenir une vraie Canadienne française. Pour contredire ta famille. Pour t'en trouver une autre. Pour faire exploser des murs, comme Hilda Strike. C'est pour ça, que tu décides de signer.

Dès le lendemain, la machine est lancée. Les parents de Claude acceptent de vous prêter la maison pour l'impression du manifeste.

Marcel et toi réussissez à dénicher une vieille Gestetner, qui servira à imprimer 400 exemplaires. Le groupe s'est cotisé, et c'est le tirage que vous pouvez vous permettre.

Tu te postes près de l'imprimante et assistes Claude, qui l'opère. La manœuvre est lente. Tes doigts, couverts d'encre fraîche.

Borduas a décidé d'ajouter certains manuscrits au texte. Une reproduction d'une sculpture de Marcel et une autre de Jean-Paul accompagnent *Refus global.* Une huile de Pierre, puis des photos des performances de danse de Françoise. Trois pièces de théâtre écrites par Claude, dont *Bien être,* seront aussi jointes au manuscrit. D'autres huiles, d'autres photos... Tu fais le compte. Tous les autres ont une présence sur les pages que tu tiens dans tes mains. Tous, d'une façon ou d'une autre, se retrouveront mis à l'index. Tu les envies.

Tu files une page à Claude, qu'il insère dans la machine. C'est son poème, qui servira de couverture au manifeste, accompagnant une aquarelle de Jean-Paul.

Tu demandes à Marcel de te remplacer, lui déposes le précieux manuscrit dans les mains, et sors de la maison des Gauvreau.

Il fait déjà nuit. Tu cours pour te rendre chez toi, chercher ta poésie.

Il est une heure du matin quand tu sonnes chez Borduas.

Il ne dormait pas. Il a le visage fripé et la chemise ouverte. Les sillons de son front se creusent à ta vue. Tu as envie d'y passer tes doigts. D'y faire pousser des fleurs. Mais tu te retiens.

Il t'invite à entrer. D'un pas sûr, tu te glisses dans le hall. Il chuchote. Sa famille dort.

Il te regarde posément, ne semble même pas surpris de te voir. Tu lui tends tes poèmes. Tu lui demandes de les lire. Tu lui dis que tu as aussi ta place sur ces pages-là. Que tu n'attendais que ça. Une invitation précipice, dans laquelle te jeter.

Il prend les quelques feuilles que tu lui tends. Les rapproche de lui. Passe ses mains sur les mots sans les lire. Retire du lot ce morceau de toile de jute, qu'il avait toisé à l'atelier. Ne le lit pas, semble le reconnaître.

Son corps est proche du tien. Il a une présence fauve, saignante. Il sent la sueur chaude. Il te fixe.

Tu te rapproches de lui, vos souffles se touchent.

Tu lui demandes s'il lira. Il hoche imperceptiblement la tête.

Tu t'excuses de l'avoir dérangé si tard. Et tu sors.

La mère de Claude vous offre une nouvelle tournée de café. Le soleil s'est levé. Les 400 exemplaires de *Refus global* seront bientôt tous imprimés.

Claude s'est endormi. Marcel l'a relayé à l'imprimante, quand Borduas vient vous rejoindre.

Tu le cherches du regard. Il avance d'un pas assuré vers les centaines de pages disposées par terre. Tu les as ordonnées en livrets, et vous attendez du renfort pour vous aider à les relier. La consigne est de simplement les plier, sans couture ni attache, et de les glisser dans la couverture cartonnée.

Borduas est nerveux, il arpente l'appartement sans mot dire.

Tu vas vers lui. Tu veux savoir.

Tu l'interceptes dans son élan, te campes dans son chemin.

Mais tu le déranges. Tu le sais tout de suite. Tu l'agaces et il n'aime pas ça.

Il te contourne et poursuit sa marche, se dirige vers la fenêtre. Tu comprends que ça sera sa réponse.

Claude émerge. Les yeux bouffis, il aide Jean-Paul à plier les livrets. Tu les interromps :

– C'est trop tôt.

Claude te regarde sans comprendre.

– Il faut recommencer. Je ne signe plus.

Marcel te regarde, interloqué. Tu affirmes à nouveau de façon claire et nette que tu ne veux pas signer.

L'entente étant de respecter les souhaits de chacun, aucun n'ose te contredire. Marcel essaie tout de même de te raisonner :

– Tu vas le regretter. Et puis tout est déjà imprimé, avec ton nom.

Tu restes calme, mais élèves la voix d'un ton, pour ajouter solennellement que tu trouves que ça n'est pas assez bien écrit. Que le texte mériterait, selon toi, d'être retravaillé. Tu le penses. Le texte est dense et complexe pour un appel d'air qui devrait être invitant, léger, inspirant. Et puis le mépris de Borduas te blesse. Tu as envie de le griffer à ton tour.

Il se retourne et te jette un regard. Tu y décèles l'ébauche d'un sourire.

Il ordonne à Marcel de réimprimer les dernières pages 400 fois, sans ton nom.

Tu sors. Le matin a pris sa place, les boutiques ouvrent, les familles occupent le trottoir. Les cloches de l'église sonnent.

Tu te demandes si ta rivière déborde et espères qu'Achille a de nouvelles bottes.

Autour de toi, on parle fort, on rit. C'est une journée d'été chaude et normale.

L'histoire vient de prendre un tournant et tu te tiens à l'ombre.

Le lancement du manifeste *Refus global* a lieu à la librairie Tranquille, le 9 août 1948.

Claire, ta petite sœur, est entrée chez les religieuses. Tu ne t'es pas présentée à la vêture, tu trouves ça ridicule.

Mais aujourd'hui, tu as envie de la voir.

Tu te rends à la Congrégation des sœurs hospitalières, où elle habite maintenant. La bâtisse est vaste, ensoleillée. Tes pas résonnent dans les corridors vides. Tout cet espace inhabité. Ou peut-être qu'aucun espace ne l'est autant. Tu te sens bien ici et ça te déstabilise. Ton passé religieux te colle au corps comme une seconde peau.

Claire te reçoit dans le grand salon officiel. Elle prend place dans un fauteuil, face à toi, qui restes debout. Jésus trône au-dessus d'elle.

Elle sourit. Te dit qu'elle te trouve belle, que tu as grossi et que ça te fait bien.

Elle te félicite pour ton mariage. Elle est déçue de ne pas y avoir été invitée. Elle ne le dit pas, mais tu le sens. Elle te demande si tu es heureuse. Et tu comprends que c'est cette question-là que tu venais chercher.

Tu mens en répondant oui. Claire le sait.

Elle te demande si tu as des amis.

Non. Pas vraiment. Tu es encore étrangère. Tu n'as pas de racines.

Tu réponds à ta petite sœur que tu es libre et que ça te plaît. Que contrairement à elle, tu aimes le déséquilibre.

Tu es toujours debout devant elle, qui irradie dans son immobilité.

Tu n'aurais pas dû venir. Claire te connaît encore mieux que quiconque. Devant elle se déploient malgré toi tes béances.

Tu dois partir. Elle ne te retient pas.

Tu lui laisses un exemplaire du manifeste, ramassé dans un élan soudain. Le seul où ta signature paraît encore. La preuve de ton passage sur cette page-là de l'histoire.

Pendant une semaine, plusieurs critiques acerbes s'étalent dans les journaux, condamnant à la fois le texte et ses signataires. Borduas, à cause des propos « échevelés et injurieux » de son manifeste, est particulièrement visé.

Mardi soir, comme à l'habitude, vous vous rendez à son atelier.

Il n'y a personne.

Claude et Marcel s'inquiètent. Toi, tu comprends le vieux loup qui se terre, et tu aimes bien l'idée de le savoir blessé.

Vous vous rendez chez lui. C'est sa femme qui ouvre. Derrière elle, ses enfants, en train de souper. L'ambiance est joyeuse, les éclats de rire se mêlent au plaisir de manger.

– Paul-Émile a été démis de ses fonctions, vous apprend-elle.

Renvoyé de l'École du meuble, le vieux loup.

– Il ne reçoit personne pour le moment.

Décapité, l'animal.

Ça te fait un peu plaisir. Sa femme te regarde, accablée. Peut-être a-t-elle saisi cette pointe de satisfaction dans ton regard. Peut-être te demande-t-elle aussi comment elle va survivre, avec les enfants et un mari subversif au chômage.

Tu caresses la maison du regard une dernière fois. Le malheur vient d'y frapper et pourtant, il y règne un bonheur brut, enclavé.

En sortant de là, tu prends la main de Marcel. Et tu te dis qu'un jour, tu voudras peut-être des enfants.

Le 21 octobre, Borduas est destitué de ses fonctions par l'arrêté en conseil n.1394 « pour conduite et écrits incompatibles avec la fonction de professeur dans une institution d'enseignement de la province de Québec ».

Marcel vous a déniché un petit appartement sur la rue Jeanne-Mance. Vous vivez dans une pièce double, qui sert à la fois de chambre et d'atelier.

Le groupe s'est quelque peu dissipé depuis la parution du manifeste et le repli de Borduas, mais tu ne t'en ennuies pas.

Tu te promènes sur l'avenue du Parc, jusqu'à la montagne, que tu gravis, le pas paresseux.

Tu redescends par le cimetière. Les morts te ramènent à toi, impérativement vivante.

C'est ici que tu as le pas le plus léger. Tu choisis des tombes au hasard, dont tu parcours les noms. Peut-être y trouveras-tu le prénom de ton enfant.

Tu es enceinte.

Tu rentres à l'appartement avant que Marcel ne revienne, juste pour t'allonger un peu dans la solitude de fin de journée, différente de celle du matin.

Te prends le désir de peindre.

Tu déroules une toile, sors des couleurs, un pinceau.

Tu as envie de peindre un oiseau. Un oiseau figuratif, un vrai oiseau qu'on reconnaît quand on le voit et qui n'a d'autre prétention que celle d'être un oiseau en vol, pour tous ceux qui le regarderont.

Ce que tu fais. Un oiseau rouge, aux ailes immenses et au bec élégant. Tu te sens femme. Peindre sans compas ni règle. Tu ne te rappelles pas que ça te soit déjà arrivé.

Ton oiseau étend son envol sur la toile entière, tu lui dessines un ciel jaune et lui souhaites bon voyage.

Tu signes Suze, 22 ans.

Marcel entre en chasseur, les mains rouges. Il ne sent plus la sciure de bois depuis qu'il a perdu son emploi, mais redouble d'ardeur à la boucherie et vous rapporte chaque soir une bonne pièce de viande, que vous partagez en vous racontant vos journées.

Ce soir-là, vous étendez la nappe sous ton oiseau rouge, qui sèche sur le chevalet. Marcel sourit, critique tant de convention. Avant qu'il ne reparte sur les fondements automatistes, que tu connais par cœur, tu lui dis que tu l'aimes. Tu lui énumères quelques noms recueillis au passage sur les pierres tombales de la montagne. Et tu lui annonces qu'il fera un bon papa.

Tu pars en ville. Sous le bras, cinq tableaux de Marcel, enroulés sur eux-mêmes. Il ne veut pas être un père boucher. Il est un artiste, et tu vas l'aider.

Tu remontes la rue Sainte-Catherine jusqu'au Musée des beaux-arts. Tu sais évidemment que Borduas et ses disciples y sont sinon craints, du moins, peu appréciés.

Mais tu n'as pas peur : ton visage ne leur est pas connu, ton nom non plus, puisqu'il ne figure pas dans le manifeste, brûlot de l'heure.

Tu te diriges d'un pas sûr vers le bureau du directeur. Tu frappes et entres, souriante.

Tu le trouves plongé dans une lecture, dont il se sort difficilement. Il te regarde, surpris, te demande ce qu'il peut faire pour t'aider.

Tu te nommes, lui dis que tu ne fais que passer, que tu sais bien que ta manœuvre est infantile et peut sembler irrévérencieuse, mais que tu voulais lui montrer quelques toiles, que tu juges parfaitement splendides et mûres pour l'exposition.

Tu sais qu'il peut soit sourire, soit te pointer la porte. Il tarde à choisir, tu en profites donc pour déployer devant lui les œuvres choisies.

Elles appartiennent à un ensemble très personnel, dernièrement peintes par Marcel, de nuit, à la bougie. Il les a nommées les *Combustions originelles.* Et tu les trouves très belles.

Le directeur sort de son mutisme pour simplement te remercier. Il reconnaît la signature du groupe duquel sont issues ces toiles. Il te demande de les replier immédiatement. Tu t'exécutes, prête à repartir aussitôt, les toiles sous le bras. Mais sur le pas de la porte, il te dit simplement de les lui laisser. Qu'il les dépliera le temps venu.

Tu as envie de te jeter sur lui, de l'embrasser à pleine bouche, de danser comme une assoiffée sous une pluie tardive ! Mais tu te retiens. Tu sors, contenant difficilement la joie qui te traverse le corps.

Te prend le désir de voir Borduas. De le consoler, peut-être.

Tu fais un détour pour te rendre chez lui.

Les lumières sont éteintes. Tu sonnes. Après un moment, tu l'aperçois, derrière la vitre, il traverse le long corridor, se dirige vers toi. Tu remarques son pas. Englué.

Il t'ouvre. Tu cherches les mots devant l'abîme qu'il te présente. Il est absent, vidé de lui. Tu lui demandes s'il a besoin de quelque chose. Il ne répond pas. Dépourvue, cherchant une pointe de joie possible, tu lui annonces que tu attends un enfant. Il te regarde alors, revenant temporairement dans son corps.

Et puis tu remarques, derrière lui. L'absence de vie. Le trou noir laissé par ceux qui sont partis.

Borduas est seul. Sa femme et ses enfants l'ont quitté. Tu sais qu'il a envie de refermer la porte. De s'engouffrer dans l'espace laissé derrière eux. De l'avaler jusqu'à vomir.

Tu le saisis par la main, fort, et le tires vers toi. Tu le serres dans tes bras. Son corps est perdu. Glissant. Tu lui murmures qu'ils vont revenir. Qu'on ne part pas comme ça.

Quand tu rentres à la maison, tu trouves Marcel en train de peindre. C'est âpre et ardent. Tu t'apprêtes à lui annoncer que ses toiles reposent dans le bureau du directeur du Musée des beaux-arts. Quand, sous les éclats cyan et magenta, tu décèles l'aile rouge de ton oiseau. C'est tout ce qu'il reste de son envol, momentané.

Marcel te dit simplement qu'il manquait de toile, qu'on doit les compter, qu'elles sont denrées rares.

Tu lui demandes d'arrêter juste un moment, d'interrompre son coup de pinceau. Tu t'approches du tableau et, d'un geste enfantin que tu n'expliques pas, tu touches, simplement, ce qu'il reste de ton dessin. Quelques plumes.

Tu te dis que même caché, il survivra.

Tu te retires, le laisses peindre en silence. Tu ne dis rien.

Surgit le souvenir des notes éteintes d'un piano. Le spectre de ta mère évaporée.

Ça remue dans les rues. Un nuage de marcheurs manifeste contre l'emprisonnement prolongé de Jules Sioui, Huron. Militant actif pour les droits de son peuple, il se bat depuis des années pour que sa nation soit reconnue comme étant distincte : ils n'iront plus au front de force, pas plus qu'ils ne contribueront aux taxes fédérales du colonisateur. Jules Sioui a fondé la Nation Indienne de l'Amérique du Nord, avant d'être mis en prison, où il arrive à son 70e jour de grève de la faim.

Il va sans doute mourir. Tu marches pour l'encourager. À vrai dire, tu n'avais pas entendu parler de lui avant hier. C'est Pierre qui a fait circuler une lettre d'appui à sa cause dans le groupe. Lettre que tu as signée.

C'est la première trace que tu as laissée dans l'histoire. Ta signature en appui à un rebelle amérindien.

Tous les corps se fondent en une seule et unique entité. Une coulée chaude et fragile, qui embrasse les rues de Montréal. Les visages se mélangent et les pas s'accordent enfin. Dans ton ventre, ça bouge. Tu te laisses envelopper par le courant humain, qui te berce.

L'enfant que tu portes dans ton ventre au milieu de cette masse militante, c'est ma mère.

Cinquante ans plus tard, elle consacrera une partie de sa vie aux droits des Amérindiens.

C'est toujours un moment attendu. La grande exposition annuelle du Musée des beaux-arts. En cette année post-*Refus global,* quel heureux étonnement que d'apprendre que deux toiles de Marcel ont été sélectionnées !

Tu l'aides à préparer les deux œuvres en question. Tu les enroules dans du plastique épais, que tu entoures minutieusement de ruban adhésif.

Marcel remarque la délicatesse de tes gestes. Tu manipules le deuxième tableau comme tu envelopperais un enfant pour la sieste. Tu lui souris. Il te trouve douce.

Tu termines le paquet et le déposes sur le pas de la porte, prêt au départ. Sous le plastique, sous la peinture éclatée de Marcel, tu sais que ton oiseau prend toujours son envol. Il s'en va au musée.

Le 10 avril 1949, c'est ton anniversaire. Tu fêtes tes 23 ans.

Dans l'appartement, Marcel a tapissé les murs de ses dernières œuvres.

Tu t'amuses à ouvrir la porte de chez toi sur tes invités. Tu les libères de leur manteau, tu leur offres un verre.

Tu joues à recevoir. Tu as un ventre rond, un appartement, un mari peintre et des amis qui viennent te souhaiter bonne fête.

Tu as une vie. Tu la portes comme un déguisement léger.

Marcel a rapporté de la viande, encore. Claude organise un barbecue dans le salon, ça sent le gras grillé dans la maison, les rires arrosés pleuvent bruyamment et tu t'endors dans la pile de manteaux déposés sur ton lit.

Marcel parade, affublé d'un lourd masque de fils de fer qu'il a fabriqué.

C'est demain qu'a lieu la première présentation des chorégraphies de Françoise Sullivan. Marcel a passé des nuits sur ce costume, à arpenter garages et cours à scrap afin de dénicher le matériel nécessaire pour coiffer la danseuse. Ainsi semblera-t-elle bouger sous une lourde griffe, tentant par ses mouvements amples et sauvages de la déloger, en vain.

En attendant, c'est sur toi qu'une impulsion fauve se pose. Tu as une première contraction. Tu ne verras pas le spectacle.

Le mur de ta chambre se fracasse en silence sur Hilda Strike qui traverse la fête en courant.

Ça te déchire le ventre. Tu tombes en bas de ton souffle, tu tentes de t'y agripper à nouveau, tu cherches une prise un ancrage tu voudrais te sauver de toi mais tu te tiens captive.

Là-bas, Françoise entre en scène, les lumières l'habillent et sa griffe métallique semble la tirer vers le large. Marcel la regarde.

Tu n'y survivras pas, tu veux du noir, on ferme les lumières pour toi, tu cherches un trou, de la terre, une caverne.

La porte s'ouvre, et dans un filet de lumière, une silhouette s'approche de toi. Elle semble flotter, presque. C'est Claire. Ta petite sœur. Tu t'y agrippes.

Elle colle son front contre le tien. Enroule ses bras autour de ta taille. Debout, corps contre corps, vous oscillez, lent métronome rouillé. Elle te tient. Tu peux quitter le sol. Plonger en toi. Elle te murmure d'y aller. Alors, tu avales les contractions, tu les manges en entier. Pendant des heures, vos voix se mêlent à votre sueur.

L'aube pointe et l'enfant naît. Tu la tiens chaude sur toi. Elle sent la mousse des bois. Tu t'y enfouis. Vous êtes deux rescapées.

Claire n'est plus là. Tu te demandes si tu l'as rêvée. Les infirmières se succèdent, toutes des sœurs, toutes baignées de douceur. Elles te montrent à laver ton enfant. Tes mains fébriles apprivoisent les gestes neufs. Elles font écumer le savon sur sa peau. Elles y guident le ruissellement de l'eau, préservent un coin du cou afin qu'il conserve son odeur de forêt humide. Tes mains recouvrent les frissons naissants. Elles sont plus vivantes que jamais. Elles enveloppent ta fille, ta Mousse des bois, elles la collent contre ton corps qui regorge de sève. Tu as maintenant un abri.

Marcel te rejoint enfin. Il vous découvre endormies. Tu ne le vois pas, mais il pleure un peu.

À ton réveil, tu lui tends Mousse, qu'il prend en tremblant.

Tu traînes avec toi, partout où tu vas, ta deuxième dimension. Tu l'enroules d'une écharpe à ton dos ou à ton ventre, elle est une extension directe de ta personne.

C'est avec Mousse sous ton manteau que tu entres dans une église, une nuit d'hiver. Vide et humide. Les bancs craquent de froid.

Tu parcours le chemin de croix. Tu le connais par cœur. Mais le regard que tu y déposes cette nuit-là est neuf. Tu t'attardes aux traits, aux expressions de peur, d'inquiétude, de peine, de colère.

Tu es happée par le récit du Christ transportant sa croix. Tu ne veux pas qu'il y meure. Tu te prends à espérer que quelqu'un vienne le sauver. À la 13e station, tu ravales un sanglot. Jésus descendu de la croix est remis à sa mère. Tu murmures, comme quand tu avais 10 ans : *Nous t'adorons, Ô Christ et nous Te bénissons... Par ta sainte Croix, Tu as racheté le monde...*

Un craquement.

Tu te retournes vivement, de peur qu'on ne t'ait entendue.

Mais l'église est vaste et vide.

Tu te diriges vers la sortie.

Peut-être un peu pour te rattraper, tu harponnes sur ton passage une dizaine de larges cierges, que tu fourres dans ton sac.

Ils réchaufferont la pièce qui te sert de maison.

Entre les encres et les photos de performances, tu te promènes, ta fille contre toi.

Quelques journalistes se sont déplacés pour l'occasion à la librairie Tranquille. C'est la première fois que le travail du groupe est exposé depuis la parution du manifeste. Tu as glissé ta poésie parmi les œuvres offertes en pâture. Tu n'as rien à perdre. Mais il est trop tard, et tu t'en rends compte ce jour-là.

Tu es sans envergure, anonyme. Tu erres dans l'orbite des contestataires. On ne s'intéresse pas à toi. Tu n'es personne.

Tu te tiens debout sur ce constat, accueillant les critiques qui daignent se présenter à toi. Tu leur tends un verre de vin, consciencieusement servi dans les cierges volés, que vous avez pris soin de creuser. Certains s'en offusquent et refusent d'y boire. D'autres affichent un sourire incertain.

Borduas se joint à vous. Tu lui offres à son tour un cierge alcoolisé, fière de ce clin d'œil irrévérencieux.

Il te jette un regard assassin, frôlant le dégoût.

Il traverse rapidement la petite salle d'exposition, effleure les œuvres des yeux, ne salue personne ni du groupe ni des invités.

Il sort.

Le lendemain, les journaux ne parlent que de l'outrage puéril à l'Église, que de ce verre servi dans des cierges creusés. Rien sur les œuvres. Tout sur ces enfantillages.

Borduas est en colère. Vous n'êtes pas dignes des idées que vous défendez. Vous êtes encore aux couches.

Il vous fait savoir du même coup que le jury du prochain Salon du printemps a décidé d'exclure les œuvres automatistes de sa sélection.

C'est la première fois qu'aucun des tableaux du groupe ne sera présenté à cette importante exposition.

Attablée à la Hutte, tu tiens ta fille d'une main et un feutre, de l'autre. Des cartons sont déployés sur le sol et les tables.

Armé d'une brocheuse, Claude, hilare, accroche les panneaux au corps de chacun.

Une frénésie adolescente vous enveloppe. Tu l'assumes. Tu as envie de légèreté.

Les bières et les slogans tournent en même temps : *« En grève contre le jury de marde ! » « Nous voulons un jury contemporain ! » « Place à l'art vivant ! » « Un jury de pétomanes ! »*

Tu pouffes de rire. Mousse mange des chips au milieu des volutes de fumée de tes amis excités. Claude la prend dans ses bras, pendant que tu te glisses entre deux cartons.

Il découpe un trou juste entre les mots « art » et « vivant ». Tu pourras ainsi transporter ta fille, qui glissera sa tête au milieu de ta contestation.

Te voilà femme-sandwich politique, ponctuée d'une enfant manifeste.

Tous enveloppés de vos messages, vous vous dirigez d'un pas ferme vers le musée où se déroule l'inauguration du 67e Salon du printemps, bondé de visiteurs aguerris.

Vous y entrez, l'un à la suite de l'autre. Vous avez convenu de garder le silence. Vos pancartes adolescentes crient assez fort.

Votre présence interrompt les discours préliminaires, deux agents se dirigent vers toi, te demandent en anglais *What is it?* Te disent de *Go out right now.*

Mousse, nouée à toi, déjà à l'ombre de tes revendications, semble absorber la scène avec amusement.

Vous faites le tour de la salle à deux reprises devant le regard curieux des membres du jury et des nobles invités.

Certains vous reconnaissent, semblent agacés par cette soudaine intrusion dans leur soirée, vous contemplent de bien haut. D'autres affichent un certain amusement face à votre spectacle inoffensif.

Mousse s'endort lentement sur toi, bercée par ta marche silencieuse, enveloppée d'une revendication cartonnée qui la garde au chaud.

La police intervient, vous empoigne vigoureusement et vous dirige vers la sortie.

Vous voilà petits devant les grandes portes à nouveau fermées du musée.

Faibles vainqueurs. Une aura d'audace diffuse flotte autour de vous.

Vous vous dispersez dans la nuit, chacun de votre côté. Vous êtes des enfants flous, refusant d'être exclus du patrimoine culturel de leur pays.

Et tu te demandes ce qui, sincèrement, te fait croire que tu y as une place.

Tes poèmes dorment au fond de tes poches. Mousse bave dans ton cou. Tu avales la vie des autres et ne sais pas comment construire la tienne.

Plus personne du groupe n'est aujourd'hui convoité. Tous se démènent pour pouvoir survivre. Certains, ceux qui le peuvent, retournent vivre chez leurs parents. D'autres s'exilent, avec l'espoir de trouver ailleurs la possibilité de peindre encore.

Le nom de chacun est rayé presque partout. Bannis des rangs, indésirables.

On ne rit plus.

Borduas quitte la ville pour la campagne, où il se trouve une petite maison en bordure du Richelieu. Il reçoit sporadiquement des nouvelles de sa famille émiettée.

Il baigne dans sa tristesse.

Tu reçois un avis d'éviction. Deux mois que vous ne payez plus le loyer.

Le travail à la boucherie ne suffit plus. L'oncle de Marcel vous propose de venir vous installer chez lui. La cuisine d'été peut faire office de chambre.

Mais Marcel ne veut pas. Il est trop fier.

Des amis partent s'installer à Saint-Jean-Baptiste-de-Rouville. Une vieille ferme peut les accueillir. La terre à betteraves y est riche, et Mousse y sera bien.

Vous ramassez donc quelques toiles, deux trois draps, des livres.

Et vous partez faire pousser des betteraves à sucre à la campagne.

La chose est sérieuse. Vous êtes six adultes et deux jeunes enfants. Tous urbains et artistes.

Vous avez 10 acres de betteraves à cultiver.

Vous organisez une rencontre avec un agronome. Il vous rassure : la betterave à sucre pousse facilement, et elle est facile d'entretien.

Sa récolte se fait idéalement sous la pluie. Le légume se déterre alors aisément et sort sans être abîmé.

L'usine est en bordure du village, des employés passent régulièrement recueillir les sacs au kilo et les prix sont bons.

Le champ de terre devant toi te rappelle les ongles usés de ta mère. Tu préfères la ville à la campagne.

Mais ta fille se promène de bras en bras et Marcel est près de toi. Ça te plaît. Tu veux que ça marche.

Tu vas racler la terre et amorces un potager.

Deux hommes, beaux, la campagne dans le corps, la démarche solaire, t'apostrophent : ils vendent des poules. Ça vous fera des œufs.

Tu en achètes 10 et replonges tes mains dans la terre.

Dyne Mousseau, gracile et profonde, a laissé ses ambitions artistiques en ville. Elle renonce à son métier d'actrice et s'abîme avec toi sur ce nouveau continent. Elle a aussi une petite fille, Catherine, qui pousse aux côtés de la tienne.

Une nuit, vous volez des meubles à l'église du village. Quelques chaises, un banc qui vous servira de table.

Vous dormez par terre, collés les uns contre les autres. L'été est chaud et humide.

La peau de ta fille sent bon. C'est toi qui l'as faite. Des fois, tu y penses et tu te sens forte comme jamais.

Tu cultives ton potager pour la nourrir. Et bientôt, ça pousse.

Grimpée sur ton tracteur, tu vas vendre des légumes au village. Mousse est agrippée à toi, petit koala. Tu apprivoises la campagne, tu aimes être nue sous le même t-shirt et tu rapièces tes jupes usées.

Tu deviens fière de la vigueur de tes carottes et tu admires la forme heureuse de tes haricots, que tu vends à la criée aux villageois qui te connaissent maintenant.

Le soir, tu récoltes les retailles de toile laissées par Marcel, sur lesquelles tu t'amuses encore à écrire. La campagne t'inspire une poésie de racines. Moins d'envolées, plus de morsures.

Toute la journée, Marcel travaille au champ. Ses bras s'arrondissent et son visage se creuse. Le soir, il mange sans parler et ça lui va bien. Il peint sur ce qu'il reste de toile, parfois repasse par-dessus les anciennes, où les couleurs cohabitent accidentellement.

Vous faites l'amour dans les bois parce que la maison accueille plusieurs corps. Tu aimes le retrouver fatigué, tu te plais à le vider de la vie qu'il lui reste, et il aime te la donner.

L'été s'achève sur Saint-Jean-Baptiste-de-Rouville et tu te surprends à être doucement heureuse.

Les poules n'ont pas donné d'œufs. Les poules sont en fait des coqs. Dix coqs. Tu t'es fait avoir.

Tu leur brises le cou un à un, tu les cuisines jusqu'aux os, que tu feras bouillir de longues heures, embaumant la maison dans laquelle s'installe septembre.

Dans le champ, les queues de betteraves bravent la grisaille, leur vert vif en rupture de ton.

Il pleut bientôt et tous, vous sortez mettre la main à la récolte. Dix acres de betteraves à sortir de terre, sous la pluie qui se fait froide.

C'est dans la boue que tu plonges tes mains rouges, avides d'y trouver la rondeur du légume, que tu dégages avant de tirer sur ses feuilles, dans un geste sec et précis. Te revient le souvenir des champs de pissenlits, cette rage-là qui t'avait servi à en déterrer des milliers. Tu t'y abreuves, tu te rappelles ton père honteux, abdiquant, les épaules basses et lourdes, tu te rappelles le Hole et l'enfant sale qui y est peut-être encore, arrondi et croûté, tu te rappelles ta mère de vitre et ses mains crevées d'avoir trop bercé les siens, la rivière qui déterre les morts et l'église bondée, tu avances de sillon en sillon comme à la guerre, tu déterres les légumes qui nourriront tes enfants.

La journée ne suffit pas, et ce sont des semaines entières que tu passes dehors à devenir un champ de boue.

Les sacs de betteraves s'accumulent dans la maison, vous dormez dans l'odeur de terre sucrée qui t'écœure maintenant.

L'automne s'invite entre les murs, s'immisce dans le creux de tes os.

Un matin, les livreurs de l'usine passent enfin. Ils ramassent la centaine de sacs recueillis par les jeunes de la ville, dont ils se moquent en cachette.

Ils les pèsent, à l'arrière de leur camion, et vous en donnent un prix. Vous ne négociez pas. Vous n'êtes pas chez vous.

Vous apprendrez plus tard qu'ils ne vous ont payé que la moitié de la récolte. Aucun d'entre vous n'a plus l'énergie de se battre. La maison est froide, l'hiver amorce sa cruelle invasion.

Tu annonces à Marcel que tu es enceinte.

Tu apportes un pot de betteraves marinées à Borduas, qui vit toujours reclus dans sa petite maison de Saint-Hilaire.

Tu lui racontes les coqs et les 10 acres de betteraves. Ça le fait rire. Il semble heureux de te voir, même s'il ne le montre pas trop.

Marcel vous rejoint avec Mousse. C'est elle qui le traîne par la main, plutôt que l'inverse. Il a l'air perdu. Un silence sombre et viril s'installe entre les deux hommes. Tu pourrais le toucher tellement il occupe l'espace. Borduas cherche le regard de Marcel. Réussit à le trouver. Et lui dit qu'il va l'aider.

Quelques jours plus tard, tu poses ta valise dans une petite maison de bois, adjacente à celle de Borduas. Construite à même la terre. Borduas y a déployé des toiles de plastique qui serviront à l'isoler durant l'hiver.

Mousse partage votre matelas. Borduas coupe du bois dans lequel vous pigez pour vous chauffer.

Le lendemain, il déniche à Marcel un emploi d'artisan en finition de meubles à l'Office Equipment de Montréal. Marcel part tôt le matin et rentre tard le soir.

Ton ventre s'arrondit dans l'hiver aiguisé. Tu souffles sur le givre de la fenêtre et y dessines des chats à trois pattes aux fesses colossales pour faire rire Mousse.

Tu lui apprends à aller faire ses besoins aux bécosses. Elle crie « caca ! » et tu l'enveloppes dans une couverture en lui répétant en boucle de se retenir, tu sors d'un pas rapide dans la neige et traverses la cour, tu ouvres la porte de bois d'un coup de pied assuré, lèves la robe de ta fille grelottante et la regardes, pleine d'espoir. Tu verses une larme quand elle te regarde en vainqueur, les lèvres tremblantes. Tu es fière de vous.

Vous rentrez, frissonnantes, vous réchauffer près du feu. Tu fais bouillir de l'eau que vous partagez, tu lui racontes les histoires que tu décèles dans les braises, elle t'écoute, envoûtée, et lutte avant de s'endormir contre toi.

À l'aube du convoité Salon du printemps, Borduas organise une petite exposition de protestation. Tous ceux qui ne sont plus invités au musée, tous ceux qui sont passés à l'ombre du regard des nobles jurys, peuvent, pour quelques jours, se donner l'illusion d'exister encore.

Pour l'occasion, Marcel a peint deux grandes huiles noires et aspirantes. Borduas l'a complimenté, chose rare.

Tu cordes du bois de façon organisée et efficace. Borduas te regarde par la fenêtre. Tes doigts sont craqués et gelés. Tu entres te réchauffer chez lui.

Il te sert un café chaud.

Tu soulages tes mains sur la tasse fumante.

Il place devant toi un paquet de feuilles, ondulées par l'humidité. Tu y reconnais ton écriture. Tes poèmes. Tu as envie de les lui arracher des mains. Il le sent.

Il retire trois pages du lot. Te les tend. Et te dit que si tu les aimes encore, tu devrais les exposer à Montréal ce printemps.

– 1 –

Farandole émue sous la feuillée.
Douce danse érosive.
Capture coupée à l'anneau de ma main.
Dort la blessure du soir.
Silence à l'astre dont l'œil renaît.
Les mots morts comme ogive endeuillée.
Tuerie merveilleuse à la note chantée par une dent de flûte au miroir.
Projection florale entre les seins comme une éponge humide.
Je brûle de la fraîcheur au creux imperceptible.

– 2 –

Ô lac redouté des tendresses souveraines, comme des yeux de velours.
Matin trop près du cœur.
Aile naissante au lancement magnifique.
J'attends les auréoles, récompenses des évasions solitaires.
L'aurore incandescente, merle debout à la note éparpillée,
Comme un ruisseau dégoulinant en colonnades blanches.
Si près des heures heureuses.
Émoi, sensible étreinte de mes paumes entre les éléments fournis de mes rêves.
Je pige enfin à l'eau sablonneuse comme une cuillère de soleil.

– 3 –

Je cueille les sons échevelés à la mesure champêtre.
Je cultive les tremblements comme des perles.
Je vis les attentes candides au bord du chavirement.
Poids pesant que l'écrasante fraîcheur de mon
écho, comme une assiette éclatante.
Libre pensée porteuse en fragile faïence.
La nappe m'offre son coin de fruits répandus.
J'ouvre les doigts comme une dentelle.
Le frôlement des galops m'effeuille.
Profondeur attouchée, si blanche.

SUZANNE MELOCHE,
Les Aurores fulminantes (Extraits)

La petite pièce est laide et mal éclairée. Les œuvres y ont été accrochées avec soin, mais il y en a tellement qu'elles se chevauchent presque.

Tu es heureuse de retrouver Marcelle, toujours pimpante et bavarde. Elle te raconte ses amours et ses éclats, tu sais qu'elle en met et ça te plaît. Ta fille te ressemble, on te le dit, tu aimes ça. Claude est là aussi, enveloppé de sa Muriel comme d'un manteau de fourrure. Il se tient dans sa lumière, s'emboîte à ses pas, gravite dans son halo. Il est heureux de te voir, te prend dans ses bras, et caresse ton ventre.

Tes poèmes côtoient les siens, vos mots se retrouvent comme à leur adolescence.

Ils sont surplombés par la sculpture d'un nu, tout en longueur, presque liquide.

La soirée avance et les visiteurs répondent à l'appel. Tu restes en retrait à observer les quelques curieux qui s'attardent à parcourir tes mots. Ceux qui se rendent à la fin restent un temps devant le papier, installés dans la quête de sens, amusés par l'impertinente rencontre des mots.

Ça te fait sourire.

Tu surprends le regard de Borduas posé sur toi. Bienveillant.

C'est la première fois que tu te sens arrivée dans le groupe.

La porte s'ouvre et entrent cinq policiers qui, sans vouloir s'expliquer, parcourent rapidement l'exposition du regard. Ils ont été informés de la présence d'une œuvre indécente.

Après une brève et décisive consultation, ils se dirigent vers la sculpture nue et, en duos disposés aux extrémités du corps indésiré, ils la soulèvent et l'embarquent.

La statue de Roussil séjournera en prison durant plusieurs jours, tel que dicté par les ordres stricts de Duplessis.

-

Marcel est invité à exposer ses œuvres à Ottawa. Il emballe soigneusement ses tableaux. Tu ne l'aides pas. Tu voudrais qu'il reste. Mousse, dans un coin de la pièce, le regarde bouger. Il s'arrête un instant pour l'embrasser. Il referme sa valise, te laisse un peu d'argent, embrasse à nouveau sa fille, te demande de ne pas utiliser les toiles qu'il lui reste, et sort.

Tu détestes le vide qu'il laisse derrière lui et décides de tout faire pour l'ignorer.

Ce soir-là, sur un immense morceau de toile que tu étends dans la cuisine, tu peins. Tu peins, les genoux sur la terre froide et le dos cambré. Tu peins avec des griffes, la salive en écume, le geste en bataille. Tu déploies un cri rouge sur la toile humide.

Tu t'endors dessus.

C'est Mousse qui te réveille, ses petits pieds nus posés sur la toile écarlate, qu'elle regarde, impressionnée. Elle a envie. La bécosse est pleine. Tu soulèves ta fille, l'assois en équilibre sur le lavabo et roules ta toile immense sur elle-même. Tu la jettes dans un coin.

Le tuyau est gelé. Il n'y a plus d'eau. Tu écrases la merde fraîche à la fourchette jusqu'à ce qu'elle disparaisse dans le trou de l'évier.

Le matin glacial s'immisce dans la maison. Ses gouttes perlent et gèlent au plafond, traversent les fenêtres. Mousse a soif : elle les lèche, s'y abreuve, puis se blottit contre toi, son front appuyé au tien. Son souffle tiède et baigné de vapeur caresse ton visage. Tu fermes les yeux. Les doigts fins de ta fille se promènent sur tes joues, escaladent ton front, puis se perdent dans tes cheveux. Elle raconte une histoire dans une langue à elle, une histoire épique où ses doigts seraient les explorateurs courageux d'une planète secrète. Tu t'endors, bercée par cette caresse inédite, enveloppée par la présence immense de ta toute petite fille.

Le 9 mai 1951, tu donnes naissance à un garçon. Les yeux noirs, le regard vif et intelligent. Marcel est retenu à Ottawa où, semble-t-il, « les choses vont bien pour lui ».

La formule est laide et convenue. Tu ne sais pas ce que ça veut dire, « les choses vont bien pour lui ». Tu sais que tu es à l'hôpital, avec son garçon sur la poitrine et sa fille qui dort à tes pieds. Tu sais l'odeur âcre de la soupe. Tu sais que tu aimerais pouvoir laver le sang sur tes cuisses pendant que le père de tes enfants veille sur eux.

Tu sais que tu n'as pas envie de rentrer seule dans ta tanière.

Tu veux ton homme. Ton homme de nerfs et de tourmentes. Tu as besoin de ses bras ouverts sur toi.

Borduas vient te chercher à la porte de l'hôpital. Il effleure ton enfant des yeux, son regard ne s'y dépose pas. La vue des enfants le blesse depuis le départ des siens, il tente comme il le peut de nier leur existence. Il t'ouvre la portière, t'aide à t'asseoir et te recouvre d'un manteau. Ton nouveau-né blotti sur ta poitrine, Mousse qui se repose contre toi. Tu voudrais rouler des jours, des années.

Ton petit garçon s'appelle François et a le ventre doux. Tu y poses tes joues et les promènes dessus, puis tes lèvres, puis ton visage entier. Ce corps-là devient ton pays, cette odeur-là, ton oxygène, tous les petits creux trouvés, nombril, fossette, pli de peau, deviennent tes refuges, tes tranchées. Tu te liquéfies et te disperses entière en doux dépôt sur le corps chaud de ton bébé, qui se laisse habiter.

Marcel revient. Tu lui présentes François. Son fils. Il le prend dans ses longues mains.

Une fierté vive lui traverse le corps, la joie pure et brute devant une vie taillée soi-même. Il est heureux. Tu rôdes autour de lui comme une chatte, tu le sondes et le renifles.

Il t'attrape et t'embrasse, tu goûtes sa langue qui te manquait, tu te fonds en lui.

Marcel répare les armoires, calfeutre les fenêtres, vide les bécosses.

Puis il part pour New York.

La maison est bien chauffée. Les enfants dorment à poings fermés. Tu attaches tes cheveux, défais un bouton de ton chemisier.

Tu t'approches d'eux, ne les embrasses pas pour ne pas les réveiller.

Tu sors.

Borduas t'attend dans la voiture. Te questionne du regard. Tu le rassures en retour. Te convaincs que tout ira bien.

Vous roulez vers la ville, vers la fête. Tu te fous de tout. Tu as envie d'éclater. Tu t'installes dans le haut de ton corps, et le reste suit.

La fête a lieu dans un petit appartement du centre-ville. Tu t'abreuves à l'odeur des moteurs, tu te laisses envelopper par le bruit, les lumières, le mouvement.

La vie multipliée te manque et t'enivre.

Tu retrouves Claude, Muriel, Marcelle. Jean-Paul, qui revient de France, et puis Françoise. Au salon enfumé s'emmêlent les discussions. Les mots t'emmerdent, tu n'as rien à dire.

Tu bois et tu danses pendant que la nuit avance, tu t'y installes, désinvolte et seule, tu n'aimes vraiment personne ici, tu t'essouches et t'essouffles.

Un cri de douleur vient fissurer le party.

Muriel est pendue dans la salle de bain.

Les doigts de Claude cherchent avidement son pouls comme une baguette cherche sa source.

Muriel est morte. Elle a 29 ans.

Tu aides Borduas à retirer la corde autour de son cou. Tu n'avais jamais remarqué sa longueur. Un cou de cigogne en envol.

Claude ne crie pas. Il ne pleure pas, ne tremble pas. Il est figé, immobilisé dans l'horreur. Il vient de perdre son océan. Celle qui lui permettait de ne pas se fracasser.

Le jour se lève quand Borduas te ramène chez toi. Le souffle posé de tes enfants te harponne la poitrine. Tu cours vers eux pendant que Borduas remet des bûches dans le poêle. Ils dorment, blottis l'un contre l'autre.

Tu te déshabilles et te glisses tout contre eux. D'un geste invisible, tu invites Borduas à te rejoindre. Tu lui fais une place près de toi. Il hésite. Puis s'avance à pas fragiles, ne sachant pas où poser les pieds, craignant une fosse, une crevasse, un précipice soudain.

Il se dépose contre ton corps froid, dos à toi. Sa large nuque maintes fois fissurée en offrande. Tu t'y caches jusqu'au réveil.

Marcel est à l'hôpital. Il a implosé à New York. Trop de pression pour sa fragile carcasse.

Tu le visites. Le trouves décharné. Tu prendrais tous ses lambeaux à pleines mains et t'en ferais des écharpes. Il n'avait qu'à rester.

Sur sa table de chevet, quelqu'un qui pensait bien faire a pris soin de déposer quelques articles de journaux, minces entrefilets relatant le passage d'un peintre automatiste dans la ville américaine.

Tu les parcours, les jettes.

Tu veux savoir quand il va sortir. Personne ne peut te répondre.

Tu t'approches de lui. Tu cherches à faire jaillir son regard. Tu souffles sur la braise. Tu fais tomber ta jupe sur tes cuisses, prends sa main et la glisses sur ton sexe. Ses doigts s'étendent lentement dans tes poils. Retrouvent leur nid. S'y installent.

Tu rentres seule chez toi, son empreinte au corps.

Tu as 26 ans aujourd'hui. La pluie entre dans la maison. La boue du sol traverse les toiles de plastique, percées par endroits.

Tu achètes une cuisse de cochon au village. Tu sors une nappe fleurie que tu poses par terre dans la cuisine. Tu habilles tes enfants de leurs plus beaux vêtements.

Tu ouvres une bouteille de vin, et vous vous assoyez là tous les trois. Mousse a presque trois ans, le visage rond comme une lune fière, des yeux doux. Elle se tient droite comme tu lui as appris à le faire. François aura bientôt un an et t'aimante. S'il pouvait, il se fonderait en toi.

Tu tranches de fines lanières de jambon que tu coupes en petits morceaux et leur distribues. Mousse est heureuse de manger par terre. Elle aime les pique-niques.

Vous avez les fesses mouillées, et ça vous fait rire.

Mousse chante la chanson de l'escargot qui sort sa tête quand il pleut. Sa voix virevolte sans contrôle et c'est joli.

Tu finis la bouteille de vin.

Tu mets de la musique. Tu danses, François dans les bras, Mousse en léger satellite tournant autour de toi. Leurs rires à ta suite, tu baignes dans une joie chaude, dont tu les asperges.

Ils s'endorment affalés sur toi, petites sangsues collantes et amoureuses.

Tu les couches tout habillés.

Tu traverses chez Borduas, où il y a de la lumière.

Tu frappes à la porte, il t'ouvre. Tu déposes un pied dans sa maison et décides que tu y passeras la nuit. Tu manges sa bouche. Tu dévalises son corps abandonné. Tu l'arroses, tu t'y essaimes au complet, tu t'étales et t'offres à lui, qui te reçoit enfin.

Tu as 26 ans et tu es assoiffée.

Le matin venu, tu ouvres les yeux et les refermes aussitôt. Tu es là où tu as envie d'être. Tu veux jouer à avant et toujours choisir là où tu as envie d'être.

Il fait chaud dans le lit de cet homme-là, plus vieux que toi, les bras en racines fortes autour de ton corps qui redevient celui d'une femme.

La maison sent la peinture. Cette odeur autrefois excitante de toiles neuves, de naissances subites et encore sauvages. Cette odeur qui aujourd'hui te répugne.

Tu t'extirpes du lit. Dans une petite pièce au fond de la maison, elles terminent de sécher. Tu y glisses un doigt pour le plaisir. Le noir épais et laqué se glisse sous ton ongle.

Dans l'abondance chaotique du petit atelier, tu décèles un exemplaire du manifeste. Poussiéreux et tuméfié de moisissure, il n'inspire plus rien.

Tu le feuillettes au hasard, tu fais rouler les pages dans tes mains.

Au terme imaginable, nous entrevoyons l'homme libéré de ses chaînes inutiles, réaliser dans l'ordre imprévu, nécessaire de la spontanéité, dans l'anarchie resplendissante, la plénitude de ses dons individuels.

D'ici là sans repos ni halte, en communauté de sentiment avec les assoiffés d'un mieux-être, sans crainte des longues échéances, dans l'encouragement ou la persécution, nous poursuivrons dans la joie notre sauvage besoin de libération.

Ce matin, tu aurais pu écrire ce texte-là. Autant il t'avait semblé étranger, autant il te colle aujourd'hui à la peau.

Tu rentres chez toi et ton pied s'enfonce dans le sol. Ça sent l'urine et la glaise. Les plafonds te semblent trop bas et les murs trop étroits.

Les enfants sont réveillés, François pleure. Tu lui essuies le nez avec ta manche.

Mousse est nue, agenouillée dans le lavabo. Elle te regarde, hésitante.

Tu l'aides.

Sous tes ongles, un mélange de merde et de peinture noire.

Puis, le moteur d'une voiture. Marcel en descend.

Tu te demandes comment son corps si long tient sur terre. Tu lui ouvres la porte en pensant qu'autrement, il passerait au travers. Un mince sourire dévore son visage. Il te salue poliment, comme s'il rentrait chez sa mère au milieu de la nuit. Tu lui tires une chaise, tu as peur qu'il tombe. Il va vers les enfants, regarde Mousse, ravi, puis François, étonné de le trouver tellement grand.

Un constat violent te happe. Tu es cette femme-là. Celle, seule, qui attend.

Tu es prise d'un puissant haut-le-cœur. Ça monte du ventre et passe en éclair dans ta gorge aigrie, qui se tend.

Tu souffles que tu sors – juste un instant.

Tu t'éclipses.

Tu marches. D'abord la tête penchée sur la cadence de tes pas. L'air reste comprimé au fond de ta poitrine. Puis, lentement, tu regardes devant.

Te cherches un souffle.

Tu ouvres la bouche. Tu marches la bouche ouverte. Tu t'accroches à l'horizon et tu laisses rentrer l'air, tout le nouvel air possible.

Quand tu reviens, Marcel est assis dans les marches avec les deux enfants. Tu leur souris, les contournes et entres dans la maison.

Ce soir-là, tu le laisses orchestrer le rituel qu'il ne connaît pas. Tu le regardes chercher les pyjamas, oublier de laver des visages trop heureux de voir leur père. Tu le regardes glisser vos enfants sous les couvertures et, avec des gestes appliqués, les border serré, comme il sculpterait la terre.

Tu assistes immobile au rituel, comme si tu étais au théâtre.

Tu t'extrais volontairement du tableau.

Tu t'expulses.

Ce soir-là, tu annonces à Marcel que tu pars.

1er août 1952

Tu réveilles les enfants avant le soleil. Marcel tremble en préparant un café noir.

Du bout des mains tu empiles les vêtements dans une petite valise. Tu les as lavés et repassés. Une robe fleurie, une salopette, une petite culotte blanche. Un pyjama vert, un pyjama jaune, un pyjama bleu. Des couches.

Une valise organisée.

Avant de la refermer, tu y déposes le petit chapeau de paille de Mousse. Celui qui protège son front du soleil. Son petit front bombé dans lequel sommeillent des bourgeons d'idées, que tu ne verras pas se déployer.

Assise à côté de toi, elle suit tes gestes du regard. Elle pourrait te demander pourquoi. Elle pourrait te demander où elle s'en va. Mais elle ne le fait pas. Parce qu'elle t'aime. Tu lui fais dos ; malgré tout, elle te transperce. Alors tu claques la valise l'empoignes et sors.

Tu ne prends pas la main de Mousse. Sa paume est un gouffre embrumé dans lequel tu ne sombres pas.

Marcel emporte François dans ses bras et vous quittez la maison familiale.

Dehors, il fait mauve.

Le jour est beau, il aurait dû pleuvoir.

Vous vous postez en bordure de la route.
Devant rien. Vous attendez l'autobus.

Et tu es terrifiée quand tu le vois arriver.

Le faux cuir du banc colle à tes cuisses nues sous ta jupe. L'autobus sursaute et chaque trou dans le chemin de terre creuse ta tombe. Tu t'assèches. Tu ne pleureras pas.

François dort. Son visage lisse et reposé, ses joues rondes et si douces, son parfum brut de chair neuve, de fraîche moiteur. François est un bébé. Marcel le tient blotti contre lui. Ses mains fines s'enfoncent dans les plis de peau de son fils, il s'y cache un temps, y émigre clandestinement. Il espère s'y perdre pour ne plus en sortir.

Mousse garde la tête tournée vers l'extérieur. Elle décrypte la campagne qui défile, longiligne et sans relief. La campagne calme qui l'aspire. Elle sent le danger. Elle sait sans comprendre. Mousse est une grande fille. Son cou long et droit te rassure. Mousse est forte et sans fêlure. Mousse ne tombera pas. Mousse sauvera sa peau qu'elle portera en bouclier devant François, ton bébé.

L'autobus ralentit. Marque un arrêt devant le garage d'un petit village, où deux vieillards l'attendent. Ils montent à bord en s'excusant. Ils ont la présence effacée des existences en pointillé.

Ils ont traversé la vie sans faire de bruit en se tenant par la main. Ils ont souri quand il fallait. Ils ont peu pleuré et jamais crié. Ils s'assoient côte à côte comme d'habitude. Leur odeur se confond et ils pensent en chœur à des choses qui ne dérangent personne.

Tu ne veux pas mourir comme eux. Ordinaire.

Tu prends enfin la main de Mousse dans la tienne et y déposes la promesse brûlante de ton envol. En espérant qu'un jour, elle s'y abreuvera.

Mais Mousse a trois ans et c'est dans tes jupes et tes chansons qu'elle existe. C'est dans l'effluve rassurant de ton cou et l'antre de tes bras refermés sur elle qu'elle trouve son souffle.

Ce matin-là, sur une route de terre sans fin, tu lui passes la corde au cœur, tu lacères ce qui la relie au monde.

L'autobus freine devant un champ de maïs. Sainte-Marguerite. C'est ici. Tu le sais, mais restes immobile.

Mousse fixe ses yeux noirs dans les tiens. Elle sait.

– J'ai envie pipi…

Une phrase comme une perche. Une phrase bouée à laquelle tu t'agrippes, les yeux baignés de larmes. Mais tu ne pleureras pas.

– Il y a une maison là-bas. Viens.

Marcel te suit, François toujours assoupi dans ses bras.

Et vous quittez cet autobus qui repart chargé de vies ordinaires, alors que les vôtres vont violemment s'échouer ailleurs.

C'est une garderie. Avec beaucoup de jouets. Avec une odeur de soupe aux légumes et même une petite télévision, à hauteur d'enfant.

Une femme douce sort de la cuisine. Dans l'ombre, son mari massif. Un ogre gentil. Qui mange les petites filles. Mais ça, tu ne le sauras pas.

Tu te fraies un chemin jusqu'à celle qui recueille tes deux enfants. Son sourire est tendre et son tablier fleuri. Elle pose délicatement sa main sur la tête ronde de Mousse. Ses mains sont vastes et ses ongles, peints. Elle parle à Mousse, mais te regarde, toi, se voulant rassurante.

– Tu es une belle grande fille.

La main de Mousse, lentement, se détache de la tienne. Tu l'échappes. Tu la perds.

Mousse avance d'un pas certain vers François, maintenant réveillé au milieu d'autres bébés qui roucoulent.

Mousse se dépose à ses côtés. Elle choisit son camp. Petite guerrière.

Tu parcours son pays des yeux une toute dernière fois. Son petit corps fier, ses épaules fines, son regard indocile qui te crible amoureusement. Ce pays-là qui est le tien. Auquel tu t'arraches. Aride et sans au revoir.

Tu fais dos à Mousse. Tu fais dos à François. Tu sors d'un pas prompt, Marcel à tes trousses.

Il pleure. Tu lui dis sèchement d'arrêter. Que vous reviendrez. Oui, vous reviendrez les chercher.

Le vent s'est levé, le champ de maïs s'incline.

Tu attends l'autobus. Délestée. Vidée. Seule au milieu des rafales.

Maurice Perron, La famille Barbeau, *avril 1952, négatif noir et blanc, 6,0 x 6,2 cm. Collection Musée national des beaux-arts du Québec, Fonds Maurice Perron, P35, S132, Pf. Avec l'aimable autorisation de Line-Sylvie Perron. Photo : MNBAQ, Maurice Perron*

Où est passé tout le monde ? Cette brusque dispersion du petit noyau qui nous unissait m'a beaucoup touché.

Je suis comme un navire sans quille.

Vous avez aussi beaucoup changé, M. Borduas, terriblement changé. Évidemment ce changement est dû à des espoirs que vous caressiez et auxquels vous ne croyez plus. Il me semble que les rares fois que je vous vois l'atmosphère est très tendue.

Je me retrouve aujourd'hui comme vous. Seul. Suzanne est partie. Nous sommes allés laisser les enfants là où on en prendra soin.

J'avais le cœur serré de laisser Mousse, je l'aime beaucoup.

Et puis, j'étais si désorienté que je ne savais plus ce que je faisais. Tout est allé si vite. Je n'ai pas su faire vivre ma petite famille. Je l'ai perdue.

Je trouve toujours Suzanne magnifique, et je l'aime assez pour comprendre tous ses actes les plus profonds.

Je me doute qu'elle est allée se confier à vous, et qu'avec toujours la même générosité vous l'avez éclairée magnifiquement. J'avoue ma lâcheté extrême sur ce point et je suis prêt à en subir toutes les conséquences. En quatre ans je n'ai pensé qu'à moi et pas beaucoup à elle.

Je crois que Suzanne va vers ses désirs les plus profonds et que ses désirs sont ses devoirs les plus profonds.

Je quitte la ville en solitaire, à la recherche d'un travail. Je dois encore payer la pension de mes enfants.

Je m'en vais le cœur très gros, en conservant dans mon cœur le sourire de ma femme et celui de mes enfants. Et j'espère que ma petite famille sera réunie bientôt dans une grande harmonie.

Au revoir. Merci de votre présence. Et sachez que j'emporte aussi avec moi le souvenir d'un très grand ami.

Lettre de Marcel Barbeau à Borduas, 1952

1952-1956

*

Tu es revenue à Montréal et tu dessines. Tu donnes des cours de fusain à une classe d'amateurs, dans un sinistre petit local qui pourtant t'oxygène.

Tu ne connais rien au fusain, mais tu t'inventes parfaitement maîtresse de l'instrument.

Tout le monde te suit, avide de tes gestes, qui guident plus que tes mots, dont tu te fais avare.

Marcelle t'a prêté la clé de chez elle, où tu dors sur le canapé, entre ses trois chats qui ont mauvaise haleine.

Le soir elle te parle de rien en ponctuant tout de rires. Elle fait de la sauce tomate, elle boit du vin qu'elle vole à l'étalage.

Tu t'y désaltères autant qu'à sa légèreté.

Tu écris pendant qu'elle peint, une assiette de spaghettis posée à mi-chemin, que vous vous échangez.

Tu ne t'installes pas dans ton temps nouveau. Tu l'empoignes et le consumes.

Tu sais que Marcel cumule les petits boulots. Qu'il fait des heures de route de Montréal à Val d'Or, en passant par Rouyn, pour enligner les heures d'ébénisterie et de menus travaux manuels. Il envoie l'argent à la garderie.

Tu reçois pourtant un appel. Les enfants ne peuvent plus y rester. Le temps de garde est écoulé. Il faut venir les chercher.

Tu ne peux pas. Tu n'es pas prête. Marcelle cherche avec toi quelqu'un qui pourrait les recueillir, le temps que tu trouves l'argent et l'espace. Mais c'est le courage, surtout, qui te manque.

Tu appelles Pauline. Elle est la sœur aînée de Marcel. Elle vit avec Janine, la cadette de la famille Barbeau. Elles ont 24 et 27 ans. Elles t'inspirent confiance.

Pauline accepte d'aller chercher Mousse. Mais elle n'a pas de place pour François. Tu insistes : il n'en prend pas, il est petit. Juste évoquer ton fils, simplement t'attarder sur son sort, laisser percer la pointe d'une considération maternelle, juste ça, ça te brûle vive.

Tu raccroches. Tu t'accroches. Tu te choisis.

L'une est grande, maigre et blonde; l'autre, plus petite, solide et rousse.

Le pas de l'une est réglé sur celui de l'autre.

Leurs mots se chevauchent, elles composent à deux des phrases longues et de dentelle.

Elles entrent dans la garderie et se présentent: elles sont les sœurs Barbeau, elles viennent chercher Mousse. Mousse qui pleure tout le temps. Mousse qui s'enferme dans les placards avec son petit frère. Mousse qui a peur de l'ogre.

Elles la trouvent à une table, concentrée sur un dessin de parapluie, autour duquel elle s'applique à étendre le déluge.

Sa valise est prête, déposée à ses côtés.

Pauline est douce. Elle prend l'enfant par la main. Janine est douce aussi, et la prend par l'autre main.

Mousse voudrait attraper son petit frère, mais elle n'a plus de prise pour le faire.

François si petit et déjà si seul. Fourré dans sa poche, le dessin d'un parapluie bleu fendant les flots.

Tu es assise devant ta petite sœur religieuse, Claire. Tu retrouves en sa présence la rumeur de tes nuits d'enfance. Ces nuits humides où tu ouvrais la fenêtre pour t'y jucher à califourchon. Claire te servait de levier, t'offrant ses frêles épaules en guise d'échelle.

Tu lui décrivais la fougue de la rivière, les allées et venues des voisins, et quand venait à passer un Anglais, tu lui crachais dessus. Alors Claire rougissait à ta place, pendant que tu t'esclaffais.

Il te semble retrouver aujourd'hui encore un peu de ta honte sur son visage. Alors que tu t'en débarrasses, elle la porte en blason.

Son regard si triste t'est insupportable.

Tu lui répètes sèchement que c'est temporaire.

Ça t'écœure de te justifier. Tu ne lui dois rien. Pour l'instant.

Tu endures. Tu as besoin d'elle. Il faut trouver quelqu'un pour François. Une maison, des parents temporaires.

Claire reste sans mot. Elle semble douter de ta survie.

Tu désertes encore. À couper ainsi les liens, tu te saigneras vivante.

Tu accotes son regard. Elle aussi est partie. À chacune sa fuite.

Claire te dit qu'elle connaît quelqu'un. Il vient souvent à l'hôpital, recueillir le corps des morts. Il est embaumeur. Sa femme et lui cherchent à adopter un enfant.

Ton corps passe du gouffre à la surface. Tu trouves un filet de voix pour lui dire que c'est parfait :

– Appelle-les.

Quelques jours plus tard, c'est dans une longue voiture noire que François, un an et demi, quitte la garderie.

Tu exposes ta poésie. Fracassante.

Elle cohabite sans gêne avec les œuvres automatistes présentées.

Ce jour-là, les journalistes notent la présence audacieuse des mots de Suzanne Barbeau. C'est le nom sous lequel tu existes. Le divorce est illégal au Québec. Seuls les hommes peuvent en faire la demande, en évoquant l'évidence d'un adultère.

De l'extrémité de la pièce, Borduas vient vers toi. Un lien fort, intangible, vous relie. Celui des fils rompus. Un lien triste imprimé sous la peau.

Il t'annonce qu'il part pour les États-Unis.

La soirée se poursuit. Tu n'y cherches qu'une alcôve pour te perdre une dernière fois dans le corps fragile de cet homme-là. Pour vous retrouver un temps dans la liberté terrifiante de ceux qui restent seuls.

Mousse a quatre ans aujourd'hui.

Tu rencontres Pauline au pied de la montagne. Elle tient ta fille par la main. Elles ne se ressemblent toujours pas et ça te rassure.

Mousse vient vers toi d'un pas certain. Elle repose bien sur terre. Elle contient mal sa joie de te retrouver, elle baigne dedans. Tu t'y fraies un chemin.

Elle te dit bonjour et t'appelle maman.

Tu pars avec elle sur le chemin de la Calèche. Sa petite main repose dans la tienne comme si elle ne l'avait jamais quittée.

Les feuilles vertes remplacent les bourgeons explosifs, qui jaunissent et s'accumulent au sol dans un tapis qui semble déroulé pour l'occasion.

Vous prenez des raccourcis, que tu es fière de lui faire découvrir.

Tu as des jujubes dans tes poches, vous vous assoyez pour les partager.

Ses joues sont roses et elle ressemble au printemps.

Tu lui dis qu'elle reviendra vivre avec toi. En même temps que tu te le dis à toi.

Le soir tombe quand tu reconduis Mousse chez ses tantes. Tu veux qu'elle vive avec toi. Tu as envie de la voir s'endormir. De lire à côté d'elle, assoupie, son souffle ralenti. Tu as envie de respirer son haleine du matin. Tu as encore envie d'être sa mère.

Tu frappes à la porte, mais avant même qu'on ne vienne vous ouvrir, Mousse sort la clé de sa poche, et t'invite à entrer chez elle.

Yves Montand chante à tue-tête dans la cuisine.

Tu avances sur la moquette orangée, dans le petit corridor qui baigne dans une forte odeur de sucre chaud.

Tu passes devant la minuscule chambre rose où un seul grand matelas doit accueillir les trois corps. Ta fille doit bien dormir, déposée entre ces deux jeunes femmes en pyjama, une odeur de pudding chômeur qui colle aux cheveux.

À la cuisine, une sœur est au fourneau. L'autre, attablée, fait des mots croisés.

Tu es dans une vraie maison. Elles t'invitent à rester. Mais soudain fragile, tu t'excuses. Tu dois y aller.

Mousse te suit jusqu'à la porte. Tu te retournes et la salues comme une adulte.

– Au revoir.

Tu fermes la porte derrière toi. Tu ne reviendras pas.

Ce soir-là, tu appelles Marcel. Tu veux que les enfants soient adoptés. Pour rendre la chose possible, il doit faire une croix sur ses droits parentaux.

Il se rend le lendemain au palais de justice et renonce, légalement, à être père.

Puis, il part en ruine pour New York.

Marcelle a un amant. Il est grand, il a les yeux bleus, il vient de loin. Il aime les bonnes tables et les sciences physiques.

Il travaille à la traduction du *Refus global.*

Il est Américain, né à Chicago. Mais il porte l'accent saillant d'Angleterre, où il a grandi.

Il a une présence éthérée. Ses pieds touchent au sol, mais le reste semble épouser l'air ambiant, oscillant au gré des vents. Là où tout est possible et rien ne semble grave.

Tu t'accroches à lui.

Vous vous sauvez ensemble.

Dans les petites annonces de *La Presse,* tu trouves une offre d'emploi, à laquelle tu réponds.

Postière. En Gaspésie.

Quelques semaines plus tard, tu reçois une promesse d'embauche.

Peter et toi remplissez un sac de quelques livres et de quelques vêtements, et prenez le train vers Gaspé.

Vers les étendues vierges. Loin du bruit. Loin de tes enfants, dont le souvenir te blesse.

Tu n'en parles pas. La simple évocation de leur prénom te broie le ventre.

Le train file. Tu respires un peu mieux dans ce mouvement-là. L'horizon mobile te ressemble toujours. Tu prends la main de Peter. Elle t'est étrangère. Et tu y es bien. Tu as l'impression de pouvoir t'y déposer, justement parce que tu ne la connais pas. Elle te raconte un présent. Juste un présent sans histoire, sans passé ni futur, dans lequel tu peux ne pas penser.

Peter ne te demande jamais rien.

Il a des yeux dans lesquels on ne se perd pas. Des yeux de surface, lisses, sans inquiétude. Que tu effleures sans t'y aventurer.

Il sent la laine humide, la pluie qui sèche.

Il est sans racine, avance au fil des rencontres, homme errant.

Il est curieux de toi. Aime te voir bouger et dormir. Aime toutes les surfaces de ton corps. S'émeut de leur singularité. Se plaît à les arpenter de ses doigts doux, de sa langue chaude.

Il aime te faire du bien. Il devient ta tanière, vous partez en exil.

Vous débarquez à Gaspé comme mari et femme, réels étrangers dans un pays où tout le monde se sait.

Un pêcheur vous attend à la sortie du train.

Il s'appelle Barnabas. Il est le seul Hongrois de Gaspésie. Il a une maison à vous louer, juste derrière la sienne.

Vous rencontrez Marta, sa femme, seule Hongroise de Gaspésie. Elle sort du fumoir. Là où sèche une quantité astronomique de morues, tranchées en filets.

Ils ne parlent ni anglais ni français. Mais lui sait pêcher et elle sait fumer. Ils ont fait de ce pays le leur.

L'odeur du poisson salé imprègne les murs de votre refuge de bois, perché sur la falaise.

Tu vois la mer se déployer devant toi, arrogante. Elle est si forte, si fière. Tu fermes les rideaux. Te laisses le temps d'arriver.

Le lendemain matin, tu enfiles ton uniforme de postière. Tu promènes à ton épaule le poids des correspondances quotidiennes. Tu te plais à apprivoiser un trajet, à deviner le contenu des enveloppes, à devenir une partie du pays. À l'autre bout de tes pas, ils ont besoin de toi. Certains t'attendent à la fenêtre, d'autres carrément devant la maison.

Tu te sens liante, et ça te soigne un temps.

Le soir, tu retrouves Peter dans cette maison d'un autre âge. Tapisserie fleurie et aquarelle pastel habillent les murs étroits. Peter a étalé ses livres partout, dans un désordre rassurant.

Vous mangez de la morue. Tous les jours. On ne trouve ici ni légumes ni œufs.

Au magasin général, tu commandes un jour de la viande. On sort un gros bloc rouge d'un congélateur, qu'on tranche à la chain saw.

Peter fait cuire la viande avec des patates. Ça lui rappelle l'Angleterre.

Barnabas vous invite sur son bateau. Le large te prend de force. La sensation te plaît. Le vent se nourrit de toi. Avale un temps tout ce que tu portes. Erase.

Vous rapportez des kilos de morue, que tu accroches aux poutres du fumoir avec Marta. Ses gestes sont à la fois rudes et féminins. Elle te parle en hongrois, même si tu ne comprends pas. Elle est charnelle et vigoureuse, et son rire expansif dégringole jusqu'à toi qui, parfois, ris aussi.

Elle est habillée de plusieurs couches de tissus fleuris et défraîchis, qui couvrent joyeusement ses kilos en trop.

Toi, tu t'habilles de noir, de la tête aux pieds. Tu as coupé tes cheveux courts.

Tu as rétréci devant l'espace trop vaste.

Pourtant, ici, tous les regards s'agrippent à toi. Te grugent. Tu n'as jamais été aussi visible.

Les hommes te désirent et te le font savoir.

À ceux-là, tu portes le courrier en mains propres.

Ces lettres officielles, parvenues de Yale University, te conduisent au bout de la falaise, dans une petite roulotte rafistolée.

Tu y rencontres Jean, petit homme vif aux joues creuses, au corps compact.

Doctorant en théologie, agoraphobe, il s'est exilé et continue ici d'entretenir la bibliothèque de la Divinity School de Yale, vue sur la mer.

Sa roulotte est aussi petite que lui, on ne peut y tenir debout. Alors tu passes quelques après-midi couchée à ses côtés. Sa peau regorge de sel, son corps trapu te prend fermement.

Tu le quittes à la tombée du jour, une odeur de sexe et de marée basse jusque dans la bouche.

Puis, l'hiver s'installe. Brutal, sans préambule.

Une tempête se heurte aux murs de votre maison qui chancelle. Elle tiendra le coup, elle en a vu d'autres.

Tu te blottis contre Peter. Ton homme-bateau, sur lequel tu t'échoues. Qui sait tout, mais ne demande rien. Qui te cueille chaque matin à nouveau. Qui te redécouvre chaque fois.

Peter qui porte un sourire accroché au bout du regard, indélogeable. Et qui te raconte l'élégance de l'Univers, les mystères de l'antimatière et la catastrophe ultraviolette en sirotant son thé.

Peter qui t'invite à te perdre en lui en douceur. Il sait que là, seulement, tu t'abandonnes.

À travers l'hiver, ton sac rempli de missives, tu fais le chemin, la tête contre le vent une fois, puis deux. Tu marches en regardant tes pas et la mer que tu avais apprivoisée vient à te manquer. Elle se cache sous le blizzard et tout le pays disparaît aussi.

Tu as envie de soupe et de cinéma.

Alors tu remets ta démission, et Peter ses livres dans son sac.

Tu pars comme tu sais si bien le faire.

Le train vous ramène à Montréal.

Un an seulement s'est écoulé et tu as l'impression d'années. Mais de retrouver ta ville te bouleverse. Tu n'aimes pas ce qui est fixe, ça te donne le vertige. Tu as si peur de reprendre racine. Tu dis à Peter que tu pars à nouveau. Il te répond qu'il te suit.

Vous prenez un bateau pour Bruxelles, seule ville d'Europe que Peter n'ait jamais visitée.

La traversée est longue et froide. Tu restes blottie contre lui. C'est ton premier grand voyage.

Vous louez une pièce vide au dernier étage d'un immeuble défraîchi. Vous y installez un matelas. Ça devient votre maison.

Au sous-sol, on vend des sacs de charbon. Vous alimentez un petit poêle qui vous chauffe, et sur lequel vous cuisinez.

Tu fais bouillir des œufs que vous mangez nus sous les draps, baignés dans l'odeur âcre du charbon ardent.

Vous errez dans l'hiver humide, usez de vos coudes les bars du coin, passez des nuits à écouter de la musique en fumant des cigarettes roulées. Tu aimes Peter. Son port altier, sa dégaine de riche sans le sou, sa légèreté, ses idées vives et denses. Mais tu n'as pas besoin de lui. Et en mantra dissuasif, te le rappelles constamment.

Un après-midi, te prend l'envie d'un grand repas. Tu t'installerais en vitrine, croiserais les jambes sous la table. Tu porterais des bas collants et des talons. Juste pour l'occasion.

Tu regarderais le menu, longtemps. T'imaginerais la couleur des mets. Leur texture. Leur odeur. Leur présence sur ta langue.

Tu irais peut-être même en cuisine regarder les gestes orchestrés autour de chaque assiette avant de choisir ce que tu goûterais.

Alors, tu décides que ce soir, tu seras reine.

Tu rentres chez toi et invites Peter au restaurant. Vous ne pouvez pas vous offrir un tel luxe, mais Peter ne pose pas de question et alimente ainsi ton désir de lui.

Tu choisis le plus beau restaurant de la place de Brouckère. Petite alcôve chaleureuse, brèche sur l'hiver humide.

Le jeune serveur vous installe en vitrine. Sous la table, tu croises tes jambes. Tu t'amuses à parfaire une chorégraphie distinguée, chacun de tes gestes s'accorde au moment.

Tu lis le menu comme un premier roman. En te délectant de la naissance de chaque syllabe. En jouissant du mot qu'elles composent et de l'invitation qu'elles te font.

Peter a envie de rire : le menu romantique, la chaleur de l'endroit, le blanc de la nappe, la délicatesse des serveurs, toi assise droite et sérieusement heureuse.

Tu commandes une briochette au foie gras poêlé, suivie d'un suprême de pintade, sauce aux cèpes.

Tu es émue devant la splendeur des plats déposés devant toi. Tu les respires d'abord, te gaves de ces odeurs exquises et étonnantes.

Tu poses, puis plantes ta fourchette, décryptes la texture, les couches qui cèdent sous la pression, puis tu déposes ta prise en bouche, alerte à la rencontre des saveurs sur ta langue, contre ton palais.

Après des mois de morue et de thé noir, tu as l'impression d'un immense voyage. Peter savoure les plats avec toi et se plaît à te regarder en profiter.

Le serveur plane au-dessus de vous à quelques reprises :

– C'est à votre goût ?

Vous lui souriez simplement. C'est divin.

Vous jouissez ensemble du repas que vous étirez jusqu'au dessert.

Tu termines ton sabayon de fruits frais, enfiles lentement ton écharpe, puis ton manteau noir et, Peter à ta suite, tu glisses au serveur que vous sortez chercher des cigarettes. Il vous sourit. Il a un cousin au Canada.

Dehors, il fait froid.

Vous partez d'un pas lent, que vous accélérez progressivement.

Vous courez dans les rues de Bruxelles, le ventre plein et la bouche encore excitée d'avoir tant goûté.

Essoufflée dans la cage d'escalier de votre immeuble miteux, tu embrasses Peter qui est plus grand que toi, que tu aimes et dont tu n'as pas besoin.

Vous faites l'amour dans votre chambre noire et tu lui dis que demain, tu trouveras du travail.

Le lendemain, tu cognes à plusieurs portes. Tu offres tes services de secrétaire. Tu sais manier l'encre et il faut payer le loyer.

Mais tu ne trouves rien.

Peter demande une avance à ses parents, qui lui envoient quelques sous et deux billets de train pour Londres. Ils s'ennuient : venez vous y déposer, le temps de vous retrouver.

Vous quittez votre chambre belge et filez en direction de l'Angleterre.

Liz et Arthur habitent un petit appartement au sixième étage d'une tour, en banlieue de Londres.

Ils sont vieux et rient souvent ensemble, et chacun de leur côté.

Liz aime les poissons. Elle collectionne les aquariums, disposés partout, pêle-mêle, dans la maison.

Arthur aime chanter. Inscrit dans la chorale du quartier, il prend la chose très au sérieux et passe de cinq à six heures par jour à répéter ses passages.

Ils sont heureux de retrouver leur fils, et ravis de te rencontrer.

Tu partages le thé avec Liz, et l'aides à faire frire les morceaux de viande qu'elle vous sert à chaque repas.

Vous dormez dans la chambre d'enfant de Peter. De nombreuses bédés y traînent encore. Il replonge dedans, d'abord du bout des yeux, puis avec un plaisir non dissimulé.

Tu éprouves rapidement le besoin de t'extraire de cette famille qui voudrait devenir la tienne. Tu t'achètes une carte d'autobus et découvres Londres.

Tu t'y perds quelques fois, avant d'y établir ton point de chute, qui deviendra ta deuxième maison : la National Gallery.

Le musée est immense et baigné de lumière. On dirait qu'on y respire mieux qu'ailleurs dans la ville.

Tu y passes tes journées entières.

L'homme filiforme qui garde l'entrée te connaît maintenant. Il te salue par ton nom: *Hello, Suze.* Tu ne déposes rien au vestiaire parce que tu es maintenant comme ça: fugitive. Tu ne laisses pas de traces.

Alors que les premières fois, tu accordais à chaque œuvre la même importance, t'attardant sur le nom et les idées de l'artiste, tu fais maintenant ton chemin de façon libre et anarchique. Tu traverses le musée pour te rendre à son extrémité, où tu passes plusieurs heures devant *The Tempest*. 1862. Un ciel bas. Gorgé de nuages menaçants, une tempête imminente en leur sein. La promesse d'un cyclone te repose. Que quelqu'un, le peintre Peder Balke dans ce cas-ci, ait été disposé à l'attendre, patiemment posté dessous, te fait adorer l'être humain. Tu l'aurais volontiers espérée à ses côtés, cette tempête-là. Tu aurais collé ton dos à celui de l'artiste, et nuque contre nuque, vous auriez affronté le ciel.

Parfois aussi tu t'apportes un livre, que tu feuillettes distraitement, assise sur un banc, où des fois tu t'endors. Le jour suivant, rien. Tu restes simplement là dans l'espace écho et vaste, où tu te sens presque chez toi.

Tu t'apportes des fruits et du pain. Tu te postes sous *Cognoscenti in a Room Hung with Pictures* pour manger lentement. Des jeunes, un pinceau à la main, dispersés dans un atelier. Leur corps figé dans un mouvement tendu vers la toile. Des tableaux suspendus partout, de façon désorganisée, vivante. L'espace foisonnant te rappelle le salon de Borduas. Tu penses à Marcel. Pas trop longtemps.

Tu penses à ce que tu aurais peint, toi, si tu avais vraiment voulu. Pas trop longtemps non plus.

Un après-midi, Peter te rejoint. Il est midi. Il sait qu'il te retrouvera sous la toile de Flemish, devant cet atelier vibrant qui te rappelle ton autre vie. Il a apporté du nougat.

Il te dit que tu devrais peindre. Tu grimaces. Il rit.

Le soir même, il te rapporte une pièce de toile vierge. Une vraie. Sans traces d'huile à moteur.

Pendant que son père chante et que sa mère fait frire le souper, tu t'enfermes dans la chambre d'enfant de cet homme qui prend soin de toi, et tu peins pour la première fois depuis longtemps.

Tu peins pendant des heures et on te laisse faire.

Tu n'ouvres la porte que pour aller faire pipi, vers minuit. Peter s'est endormi sur le canapé. Tu passes à côté de lui sans le regarder. Puis interromps ton élan et t'étends sur lui. Tu passes ta main tachée de peinture sur sa joue fraîchement rasée. Tu as envie de lui faire l'amour parce que tu ne sais pas dire merci.

Tu as envie de lui faire l'amour ici, au milieu du salon familial, entre les aquariums et les bégonias.

Tu sors son sexe et le prends dans ta bouche.

Dans la chambre d'enfant de Peter repose une toile que tu nommeras plus tard *Le pont Mirabeau,* et qui sera exposée au Musée d'art contemporain de Montréal.

Un matin de 1956, tu cours te réfugier au musée.

Peter te retrouvera à la nuit tombée, sous la toile de Cranach, *Charity*. Celle devant laquelle tu passais presque en courant. Celle que tu prenais bien soin d'éviter.

Maintenant, sous l'image de cette jeune mère prospère, un enfant au sein, les deux autres fleurissant à ses pieds, tu trembles.

Tu ne prends pas la peine de lever les yeux vers Peter quand il se penche vers toi. Tu lui dis d'une voix étonnamment claire qu'il faut trouver de l'argent.

Tu as 30 ans. Tu es enceinte.

L'avortement : illégal, toujours, en 1956. Plusieurs moyens connus.

Persil imbibé d'alcool, qu'on enfonce dans le sexe jusqu'à l'expulsion du fœtus.

Multiplication des sauts brutaux, 24 heures durant, jusqu'à l'expulsion du fœtus.

Longue aiguille à tricoter qu'on enfonce dans le sexe et qu'on fait tourner à gauche, puis à droite, afin d'expulser le fœtus.

Toutes ces méthodes sont communes. Tu peux les faire seule et risquer la mort ou payer quelqu'un pour te les faire et la risquer un peu moins.

Peter demande de l'argent à ses parents pour un cours universitaire et vous payez une faiseuse d'ange pour te libérer le ventre.

Elle te reçoit dans sa maison. Le vent y entre en bourrasques. Ou c'est dans ton corps qu'il tempête. Derrière tes cheveux en broussaille, ton visage reste lisse. Sans expression. Cette faculté que tu as de sortir de toi, de te détacher de ton corps. Tu as le ventre en champ de bataille, mais le fond de l'œil au repos. Éteint.

Elle te pointe un canapé où tu t'étends. Rugueux sur ta peau. Texture qui te ramène au salon de Peter. Là où tu l'as avalé. Tu penses à ça. Vite. Tu te réfugies autour du sexe de Peter, long et dur.

Elle enfonce l'aiguille dans ton corps.

Tu penses aux frissons naissants sur le haut de ses cuisses, là où tu passes le bout de tes doigts.

Elle tourne l'aiguille sur elle-même. Elle pêche.

Tu penses à l'éclat de roux dans ses poils. Au goût saumâtre qui enveloppe le gland, lentement.

Elle te parle, mais tu ne l'entends pas.

Ça brûle.

Tu penses à ce souffle animal qui te remercie. Tu passes la langue sur son sexe, tu ne laisses aucune trace. Jamais aucune trace.

Elle te dit que c'est terminé. Elle passe le revers de sa main sur ta joue pour essuyer une larme. Elle lave d'un linge déjà rouge le sang qui poursuit sa route sur tes cuisses. Elle remonte sur toi tes petites culottes et y glisse une serviette roulée. Elle te décline les possibles complications qui tournoient dans ta tête comme une chanson. Elle pose ton manteau sur tes épaules. Elle te demande si tu as quelqu'un pour t'aider. Elle te demande si tu veux un thé. Elle ouvre la porte. Elle t'aide à ne pas débouler l'escalier.

Dehors, Peter t'attend en fumant. Il te prend par la main. Tu aurais voulu qu'il parle, mais il se tait.

Tu ne restes pas au lit. Tu ne pleures même pas. Tu changes de culotte et tu dis à Peter que tu rentres chez toi.

Montréal n'a pas changé. Mais après Londres, la ville te semble rajeunie. Puérile, inachevée. Cette candeur-là te fait du bien. Tu te sens débutante, toi aussi.

Tu trouves un canapé chez l'amie d'une amie et tu y accostes quelques jours.

C'est le printemps et la ville est en éveil. Toi, tu n'as que l'envie de dormir.

Un matin, trop de bourgeons fanés dans les marches d'escalier te font penser à ta fille. Elle a huit ou neuf ans maintenant.

Au coin de la rue, une cabine téléphonique. Tu t'y réfugies. Tu composes le numéro presque sans t'en rendre compte. À l'autre bout du fil, Janine ou Pauline.

– Allo ?

– Allo. C'est Suzanne. Suzanne Meloche.

– Suzanne ! Comment vas-tu ?

– Est-ce que Mousse est là ?

– Oui, elle est là.

Mousse sort de sa chambre. Elle a neuf ans. Elle est menue, ses cheveux sont noir ardent, son visage, lunaire, et ses yeux, perçants. Elle a une dent qui branle, en avant. Elle espère que ce soir, la fée des dents pourra passer la cueillir. Mousse croit à la fée des dents, même si elle a neuf ans. Elle croit aussi au père Noël et au lapin de

Pâques. Par choix. Mousse aime la magie. Elle en a besoin.

Figée au milieu de la cuisine, elle est suspendue aux lèvres de sa tante Pauline. Sa mère est au téléphone. Elle a un dessin pour elle. Non, deux dessins. Et puis elle a une nouvelle chanson aussi, apprise à l'école. Et une bonne note à sa composition de français.

– Londres ? Chanceuse. Tu as dû aimer ça...

Tante Pauline regarde Mousse. Lui sourit. Tante Pauline est gentille. Quand elle porte sa jaquette rose à fleurs, on dirait qu'elle est encore plus gentille.

– Elle est à côté. Tu veux lui parler ?

Mousse veut parler à sa mère. Elle veut lui parler depuis qu'elle est toute petite. Elle est partie avant qu'elle ne puisse vraiment lui parler. Et là, elle parle bien, elle connaît plein de mots, elle les utilise bien, on lui a dit à l'école qu'elle les utilise bien ; Mousse veut lui parler, mais ses pas reculent au lieu d'avancer vers Pauline qui lui tend le combiné.

Mais Pauline est gentille et elle attend.

Mousse s'enligne. Marche comme si elle avançait sur un fil. Par quel mot commencer. Sa mère lui a tant manqué. Elle a tout manqué. Tout à raconter.

– Allo ?

– Allo... Mousse ?

– ...

– Ça va bien ?

– Oui...

À l'autre bout du fil. Dans la cabine, il y a des graffitis. *Mange d'la marde* écrit au feutre. *Motherfucker*. Il faudrait de la dentelle. Il faudrait du tapis et des rideaux de velours. Il te faudrait une chaise, une chaise pour t'asseoir.

– Mousse, c'est moi. C'est Suzanne.

La voix de ta fille. Tu voudrais sentir son haleine. Par réflexe, tu colles ton nez sur le téléphone. Ta bouche aussi.

Mousse te demande si tu as fait de beaux voyages. Elle parle bien. Les mots sont jolis dans sa voix. Tu lui réponds que oui, tu as fait de beaux voyages. Elle te demande si tu vas venir la voir. Tu tiens le téléphone à deux mains, tu le plaques sur ton visage, voudrais te fondre dedans. Tu lui réponds que oui. Dans son silence, tu entends qu'elle est heureuse et effrayée. Comme toi.

Tante Pauline saisit le combiné.

Et tu dis à Pauline que tu veux reprendre Mousse. Tu la veux à côté de toi. Tu veux apprendre par cœur la chanson de sa voix. Tu veux voir ses cheveux pousser trop long et lui couper sa frange en te forçant pour qu'elle soit droite. Tu veux connaître la profondeur de ses fossettes et le galbe de son front. Tu veux toucher la texture de ses larmes de petite fille quand tu la consoles. Tu veux. Tout de suite.

Dans le petit appartement qui sent le pudding chômeur, tante Pauline se retourne doucement vers Mousse. Elle la regarde bien dans les yeux. Elle lui demande comme à une grande si elle veut retourner vivre avec sa mère.

Mousse a neuf ans. Elle n'est pas grande. Tante Janine arrive dans l'embrasure de la porte. Elle est en pyjama bleu. Tante Pauline fixe Mousse. Tante Pauline est gentille. Tante Janine aussi. Elles sentent le pudding chômeur et préparent du beurre à la cannelle tous les matins. Mousse met sa main dans sa bouche et fait bouger sa dent. En avant en arrière en avant en arrière en avant en arrière.

Dans la cabine tu attends tu as froid soudain c'est l'hiver *Motherfucker* te hurle au visage.

Dans la main de Mousse la dent cède. Mousse tient sa dent dans sa main.

Tante Pauline lui répète la question.

Mousse dit non. Et elle court dans sa chambre déposer sous son oreiller sa dent qui vient de tomber.

Tu raccroches. Tu sors de la cabine téléphonique. Ton lacet n'est pas détaché mais tu l'attaches quand même. Tu cherches où aller. Tu es en train de tomber et tu ne sais pas ce qui va t'arrêter.

Tu prends un train pour retrouver ton équilibre.

Tu prends un train pour New York, que tu ne connais pas.

1956-1965

*

Sa voix se glisse en toi comme file le sable du sablier. Elle s'immisce en douceur, puis finit par t'habiter. Tu ouvres les yeux. Te réveilles.

Tu es toujours sur le même banc de parc. La nuit est tombée.

Devant toi, quelques jeunes filles noires. Tu la remarques au milieu des autres. Elle règne sur les lieux. Ses jambes infinies la font tanguer doucement, son corps est une voile gonflée et orgueilleuse, son cou arqué comme un tronc, ses yeux si noirs qu'ils se perdent dans la nuit. Elle te regarde.

Tu émerges, te redresses.

Tu t'es endormie dans Central Park. Le halètement de la ville autour te rassure.

La jeune femme s'approche de toi, t'apostrophe en anglais.

– *Who are you ?*

Sa présence cinglante trahit pourtant une déchirure. Une reine désaxée, couronnée de ferraille, qui te tend une gorgée de bière. Te demande ce que tu fais là.

Ta gorge est sèche, la bière te fait du bien.

Tu réponds. Tu viens de Montréal. Tu as pris le train, en es descendue, et te retrouves ici, maintenant. Tu ne sais rien de la suite.

Elle sourit. Elle aime ton histoire. Elle se présente : Selena.

Les autres filles se sont approchées. Petit troupeau pétillant autour d'elle, dominante. Elle te dit de venir. Elle connaît un endroit où tu pourras dormir.

Tu te lèves, te hisses à ses côtés, entres dans son halo délicat. Tu as envie de la suivre. Tu rejoins ses hordes et elle emboîte le pas.

Vous entrez dans Harlem.

Deux cent trente-sept, 122th Street. Harlem est noir. Exclusivement. Tu le sais. Tu le sens, en y pénétrant. Et tu retrouves ton statut d'intrus. Cet état que tu connais en profondeur. Ce sentiment de non-appartenance. Tu le portes depuis l'enfance. Tu le connais si bien qu'il te rassure. Tu te sens en terrain connu : différente.

Selena jouit de la situation, sans se moquer toutefois. Elle emmène une jeune Blanche dans ses quartiers. Elle veille sur toi.

Elle ouvre la porte du 237, qui mène à une cage d'escalier dont les murs gris s'épluchent et s'amenuisent.

Plusieurs étages se déploient dans l'obscurité. Selena cogne à la première porte devant elle. Un vieil homme noir, le visage émacié et les yeux mi-clos, ouvre la porte.

Selena l'embrasse affectueusement. Elle étire son bras vers une série de crochets, attrape une clé.

Elle te conduit à l'étage.

Les marches craquent sous vos pas. Derrière les portes closes, l'éclat hurlant d'une télé ou celui d'un vibrant tête-à-tête. Les voix rauques et écorchées s'emmêlent dans cette langue qui te ramène à la terre mouillée, à tes pieds qui s'y enfoncent, à ta rivière tumultueuse.

Selena t'ouvre la porte numéro 18.

Y survivait un groupe de junkies. Ils sont morts ou volatilisés. Tu peux t'y installer.

Un ménage sommaire a été fait, mais flotte encore dans l'air un parfum d'excès et de désespoir.

Au milieu de la pièce, un matelas.

Dans un coin, un petit aquarium où se repose un iguane.

Selena tend la main vers toi, te réclamant, victorieuse, une part du loyer. Clairement, elle te fait un prix de Blanc. Qui paiera sa prochaine débâcle.

Puis, elle hésite un temps, parcourant des yeux ton visage. Et comme si elle avait trouvé en tes traits sa motivation, elle t'avertit :

– Ici, c'est dangereux pour une Blanche.

Tu lui réponds que ça te va. *You're not afraid.*

Ça n'est pas tout à fait ça. Mais plutôt le fait que tu acceptes d'être mise en danger. Tu le souhaites presque. Le mérites.

Selena, royale et bancale, te fixe. Elle comprend. Un trouble diffus passe entre vous deux.

Elle te sourit. Te souhaite *good luck.*

La porte se referme sur toi.

Tu tires le drap faisant office de rideau, découvrant ainsi la rue. Un couple enlacé y déambule, une main glissée dans la poche de l'autre, fusionné.

Quelques enfants veillent autour d'une poubelle dans laquelle crépite un feu. Sa fumée noire sépare le ciel en deux.

Tu as déserté. Tu as tiré sur tes racines. Ça saigne. Mais tu ne panses rien. Tu iras jusqu'au bout de ton sang et nageras dedans.

Le rire de Selena qui traverse la rue vole jusqu'à toi. Elle repart, suivie de son armada de jeunes femmes fières. Elle jette un regard à ta fenêtre. Tu penches imperceptiblement la tête. La lueur lunaire de ta peau crache ta présence sur toute la rue. Selena te salue.

Tu dors à plat ventre, les bras ouverts, les jambes aussi, comme si tu venais d'atterrir à la suite d'une longue chute, recueillie par un matelas jauni, au milieu de la nuit.

La vie s'enflamme déjà dehors lorsque tu ouvres les yeux.

L'iguane te fixe.

Il t'invite à te déposer. Mais tu crains l'immobilité. C'est en mouvement que tu sens tes chaînes. Elles te confortent dans ta fuite.

Tu ne défais pas ta valise, prête à partir dans la minute.

Pendant les mois qui suivent, tu voyageras sans heurt de la 122th Street d'Harlem à l'atelier de Jean-Paul Riopelle, qui a fait ses preuves dans la grande ville. Il y a ses expos, ses amis, ses habitudes. Il t'invite à t'immiscer dans sa vie. Mais ça ne te dit rien. Tu as envie de peindre en silence et il t'en donne l'occasion.

Dans son grand atelier de Manhattan, à même le sol de béton, il ouvre les portes à qui le veut. S'y retrouvent accroupis et abandonnés de jeunes étudiants et des peintres confirmés, auxquels tu ne t'intéresses pas.

Tu évites les regards et fuis les conversations. Tu passes des heures à t'user les genoux sur le sol rugueux, la nuque en angle droit, le corps ouvert sur une toile qui devient ton domaine.

Tu t'y vides et t'y délivres, tu te vomis entière et en couleurs jusqu'aux petites heures du matin, où tu pars souvent la dernière, rejoignant tes quartiers noirs en évitant miraculeusement la mort, chaque fois.

Parce qu'Harlem ne t'a pas encore consumée. Tu subis au quotidien la blancheur arrogante que tu traînes sur ses trottoirs.

On t'interpelle et te harcèle, te vole et te crache au visage. *White whore is in town.*

You just don't care. Quelque chose de toi se nourrit de ce rejet-là.

Mais un soir où l'on te suit de trop près, tu te réfugies dans une cabine téléphonique.

Et tu composes le numéro de Marcel. C'est une femme qui te répond. De sa voix alpine, elle demande qui est à l'appareil.

– C'est Suzanne.

Silence. Tu l'imagines qui flotte jusqu'à Marcel. Toi qui avais le pas de plomb. Elle doit lui être douce.

Marcel te répond. Il te semble loin. Mais sa voix fuyante est celle des émotions trop vives.

Tu as l'envie simple de lui dire que tu existes toujours. Et celle, effrayée, de savoir s'il a vu tes enfants.

Mousse est venue passer une journée à l'atelier. Elle a partagé des huîtres avec lui.

– Sur une nappe ?

C'est la question que tu poses. Tu veux une image précise. Celle d'un pique-nique entre un père et sa fille. Celle d'un repas unique, un raccord éphémère à vos vies explosées.

– Et François ?

Marcel ne sait rien de ton bébé. Il a été emporté quelque part en Abitibi. Où une famille d'embaumeurs assiste à ses premiers pas.

Tu raccroches et traînes ta peine dans ton repaire, où Selena t'attend.

Elle est couchée sur ton matelas, à demi nue. Elle termine une bouteille de rhum. La sueur perle sur son torse émacié.

Alors tu t'abîmes en elle, elle sombre en toi.

Endolories et affamées, vous vous avalez. Tu goûtes sa peau sucrée, suces son sexe large et sinueux. Elle t'explore sauvagement, scarifie ton corps déserté.

Et entre deux souffles tu déploies ta douleur, au milieu d'une caresse tu hurles ton manque.

Selena t'enveloppe et te lèche. Et à son tour, se raconte.

Ses enfants. Des jumeaux nés trop tôt. Deux petits corps noirs fixés à son sein, dont les souffles s'affaiblissent en chœur... Deux petits corps trop noirs pour être rescapés. Les médecins qui les regardent s'éteindre lentement parce que l'incubateur est *« White only »*, confiné à l'aile blanche de l'hôpital, là où l'on ne laisse pas mourir les gens.

Le poids de ses deux enfants imprégné pour toujours, là. Elle enfonce ses paumes dans son ventre.

C'est ça. C'est là que vous n'êtes qu'une. Éviscérées.

Vous vous endormez enlacées.

À l'atelier de Jean-Paul, Jackson Pollock règne en maître. Nombre de disciples en admiration totale errent dans ses quartiers, sans toutefois pouvoir l'approcher. Il mord.

Toi, tu t'en fous.

Tu largues ton saccage intérieur sur de la toile neuve, tu suis le métronome anarchique de tes tripes qui là seulement se dénouent.

Un soir, tu épuises ce qu'il te reste de peinture noire. Pourtant, le blanc de ta toile s'évapore et tu sens le besoin criant de le ligaturer d'un noir pesant.

Il est quatre heures du matin. Il ne reste que Jackson et toi. Lui, à l'autre extrémité de l'atelier, s'est assoupi dans un nuage d'alcool, recroquevillé contre une toile encore humide.

Tu t'approches à pas feutrés, t'attardes un instant sur ce visage rugueux au repos. Bien qu'il soit immobile, tout en lui semble encore en lutte. Son large nez et son front nu lui donnent l'allure triste d'un boxeur au tapis. Tu tombes un instant dans cette petite fossette qu'il a au menton. Tu ne sais pas pourquoi, mais elle te donne envie de pleurer. Tu te ferais toute petite et t'y blottirais, perdue dans ce qu'il reste d'enfance à ce visage en colère.

Tu agrippes un reste de peinture noire gisant aux pieds du géant assoupi. Et d'un pas assuré, tu traverses la pièce en sens inverse.

C'est avec la peinture de Jackson que tu termines ton tableau.

Il est sept heures du matin quand tu quittes l'atelier, laissant la toile humide derrière toi. Tu n'y reviendras pas.

Ce tableau-là, intitulé *Métronome,* sera plus tard exposé au Salon du printemps de Montréal. Il aura été ramassé au matin par Jackson, qui l'aura trouvé tragique et fabuleux.

Le 22 février 1960, Borduas meurt à Paris. Tu trouves son visage en noir et blanc, réduit à un cadre minuscule dans la chronique nécrologique d'un journal new-yorkais. Tu n'es pas triste. Mais une puissante vague de colère t'assaille. Tu lui en veux. Abstraitement, mais profondément.

Tu lui en veux de vous avoir laissé tomber. Tu lui en veux de ne pas t'avoir choisie, de ne pas t'avoir retenue. Tu lui en veux de t'avoir fait croire que vous étiez spéciaux dans une époque spéciale.

Il y a quelque chose d'aigre dans l'air. L'odeur des grandes crues. L'odeur de la colère contenue. Enfin, Harlem déborde. Harlem sort de ses quartiers décharnés.

Tu remarques d'abord plus de Noirs dans les rues. Ils marchent, assurément, se dirigent vers quelque part. Tu ne te rappelles pas avoir remarqué chez eux, avant, cette volonté d'aller quelque part. Aucune trace d'errance ici. Un tracé net qui relie à l'horizon.

Tu avances, seule, et tu te sens plus éparpillée qu'eux, dont les rangs grossissent à vue d'œil. Plus ils se dispersent, plus ils sont ensemble.

Et, un déclic soudain. Ni audible ni décelable à l'œil. Un appel invisible et pourtant si clair. Auquel réagit la masse posée, qui explose.

Fracas de vitrines. Une, puis 10, puis des centaines.

Harlem déborde, fleuve de naphte. La ville s'enflamme.

New York brûle, éventrée.

Le feu est mis aux voitures qui s'aventurent dans le magma en colère. Les boutiques sont vidées, pillées. Des enfants ressortent les bras pleins de tout ce qu'ils trouvent. Des saucissons, du papier de toilette, des chaussettes.

De vieilles dames trébuchent, embourbées dans leurs sacs remplis de plats surgelés. Les cris festifs se mêlent aux revendications politiques.

Tu longes les murs, tu traverses la tempête, intimidée par le chaos puissant qui t'inspire et t'attire pourtant.

Ils ont envahi l'espace. Du sol au ciel : les immeubles sont dévorés, des visages noirs en émergent, victorieux. Ils conquièrent la ville à leur tour.

Tu envies ceux qui passent, un enfant grimpé sur leurs épaules, ceux qui portent leurs cris plus loin grâce à ce morceau d'éternité qu'ils traînent sur leur dos.

Le poids de Mousse, soudain, tombe sur toi. Saurais-tu la tenir en équilibre autour de ton cou, ses deux petits genoux bordant ta mâchoire, ses jolies mains se frayant un passage dans tes cheveux ?

Tu trébuches. À tes pieds, une chatte haletante. Autour d'elle, une constellation de chatons roses encore mouillés. Ils viennent de naître. Des passants te bousculent. Si les chats restent là, ils meurent.

Tu retires ta veste, les enveloppes.

Leurs griffes s'enfonçant dans tes bras, tu avances dans la tempête, ton petit paquet vivant plaqué aux tripes.

Un homme se fait lyncher ; étendu par terre, sous le poids de deux policiers, il se débat, enragé.

Un enfant avide le regarde en vidant dans sa gueule un sac de chips qu'il vient de voler.

Contre toi le poids chaud des chats.

Tu cherches un chemin, tu cherches une sortie. Cette chatte et ses petits deviennent le centre de ta vie. Ce qui compte encore.

Une ruelle. Tu t'y faufiles. Y trouves un antre pour cacher tes rescapés.

Tu t'agenouilles, déploies doucement ta veste, dont la chatte s'échappe, effrayée. Tu la regardes filer, elle se dirige vers la rue bondée, le cul en sang, les mamelles pleines.

Tu déposes les chatons apeurés sur ta veste ensanglantée, leurs miaulements rauques t'angoissent. D'une voix tremblante, tu tentes de les rassurer. Quand un coup violent te projette au sol.

Un poids lourd sur ta mâchoire, qui craque.

– *You white whore, just get out of here.*

Tu ouvres les yeux, cherches la source, effleures des visages noirs aux traits fins et fous. Des femmes, jeunes. Une mosaïque d'amazones en furie qui grognent, penchées sur toi, louves ahuries. Tu tentes de protéger les chatons, te recroquevilles.

– *This is our war, you nigger lover.*

Une salve ultime. Tes os craquent et s'enfoncent dans l'asphalte chaud.

Noir total. Dans lequel tu tombes.

Ta porte et ta fenêtre sont fermées. Tu ne sors plus, tu ne dors plus. Dehors persistent des résidus d'émeute, qui s'amenuisent de jour en jour, réprimés de plus en plus violemment par les forces policières.

Une nuit finalement l'emporte sur toi : tu t'abandonnes au sommeil quelques heures.

Au réveil, tu trouves Selena, installée dans ta cuisine, un bol de céréales dans les mains. Elle le tend vers toi, tu dévores. Ça fait plusieurs jours que tu n'as rien avalé.

Elle ne te dit rien, mais scrute les bleus sur ton visage, qui lentement se dissipent.

– *You look great.*

Elle t'invite à sortir.

Sa lumière écume sur toi et te brûle presque la peau. Cette femme-là t'envoûte.

Dans un petit local, des Blancs et des Noirs, dispersés et entassés. Ils ont dans la vingtaine et sont suspendus aux lèvres d'un homme plus âgé, qui interrompt son discours à votre arrivée. Vous êtes en retard. Les visages se tournent vers vous.

Déjà, tu regrettes d'être là. Tu as l'amère sensation d'un déjà vu. Un maître devant ses jeunes disciples, assoiffés de possibles.

Sous l'aridité des néons : l'émergence d'un projet commun.

Tu connais cette silencieuse effervescence et tu n'en veux plus. Selena le sent et resserre sur toi sa chaude emprise.

L'homme vous salue. Il connaît Selena par son nom, te souhaite aimablement la bienvenue.

Tu es prise d'un vertige. L'impression sordide de reconnaître, dispersés parmi l'auditoire, le doux visage de tes assaillantes.

Tu t'agrippes à Selena qui te trouve un siège, où tu échoues. Elle se pose devant toi.

À l'avant, l'homme poursuit son discours. En atterrissage, tu ne l'écoutes pas tout de suite. Tu scrutes la salle. Tu cherches à reconnaître les parcelles de corps venimeux qui t'ont mise à terre. Mais ton œil se pose sur la nuque effilée de Selena. Et tous ces corps noirs deviennent le sien.

À l'avant, Farmer – c'est son nom – expose de façon méthodique le déroulement du voyage à venir.

Tu n'as jamais vu, encore, une telle mixité des couleurs. Blancs et Noirs cohabitent ici, en un amalgame revendicateur. Le simple fait de douter ensemble, sous un même toit, est une petite révolution.

Pendant que tournent dans l'assemblée feuilles et crayons, la *Freedom Ride* t'est résumée.

Tu te retrouves en enfance, à l'arrière de la classe, à contempler les nuques attentives et posées, émouvantes de fragilité.

Et celle, cuirassée, de Selena. Qui te happe et te pulvérise. Sa nuque de glaise, si droite. Nuque affûtée de femme blessée.

À l'avant, on poursuit : deux autobus mixtes. De Noirs et de Blancs chargés. De Noirs et de Blancs mélangés. Qui se touchent. Qui se sentent. Qui sillonneront les États-Unis jusqu'au Deep South, armés de la volcanique arrogance d'être ensemble.

Une feuille blanche t'est tendue.

– *No real risk. But better do it,* te chuchote Selena à l'oreille... *Just in case.*

Just in case, un testament.

Tu restes interdite un temps.

Tu n'as rien à donner. Et personne à saluer. Devant ta feuille immaculée, tu prends le pouls de ta solitude. Tu l'assumes et la portes en étendard. Tu n'as rien ni personne. Tu es libre. Tu fais circuler la feuille vide.

Arrêts pressentis : Washington, Richmond, Greensboro, Colombia, Atlanta. Puis... Anniston et Birmingham, en Alabama. L'Alabama : le Johannesburg des States. Le Ku Klux Klan y règne en maître. Aucun mouvement de revendication ne s'est jamais rendu si loin. Le but est clair et assumé : enflammer le Sud. Créer une crise.

Tu as mal partout. Dans ton ventre étripé, désaxé, sur toutes les parcelles blanches de ta peau désaimée, dans le sang qui se débat dans tes tempes et dans ces stigmates bleus qui couvrent ton visage, tes cuisses, ton dos, et qui te gueulent *that you don't belong.*

Mais devant toi s'étire sa nuque noire de femme géante, de femme hyène aux entrailles arrachées, cette nuque acérée qui siffle sa vengeance. Cette nuque-flèche qui se retourne vers toi, te révélant à nouveau la bouleversante douceur de ses traits infantiles.

– *Come.*

C'est à sa fierté que tu t'accroches.

Tu es prête à plonger là où elle t'invitera à le faire.

– OK.

Vous ferez route à deux. Tu seras la moitié blanche de votre *fuck you.*

L'autobus part demain. Le voyage durera deux semaines.

Ton reflet en surimpression sur la route en mouvement. Dans cet entre-deux où tu respires mieux. Renaît doucement en toi le désir d'appartenir à quelque chose.

Tu es assise près de la fenêtre. L'Amérique défile sous tes yeux. Dans l'autobus, on entonne un chant gospel traditionnel.

I'll ask my brother, come go with me. I'm on my way great God, I'm on my way.
If he won't come, I'll go alone. I'm on my way great God, I'm on my way.
I'll ask my sister, come go with me. I'm on my way great God, I'm on my way.
If she won't come, I'll go anyhow. I'm on my way great God, I'm on my way.
I'm on my way to the freedom land. I'm on my way great God, I'm on my way.

Un *diner* de bord de route. Vous y entrez en alternance Noir Blanc Noir Blanc. Au-dessus de la section du fond pend un écriteau jauni par les éclats de friture : « *Colored Only* ».

Vous vous assoyez tous au comptoir. Sous l'écriteau « *White Only* ». La jeune serveuse fige, des assiettes en main. Elle vous regarde vous installer, choquée. Elle jette un œil aux cuisiniers, qui ont cessé tout mouvement.

Les autres clients sont aussi en suspens.

Selena brise la glace :

– *Hi miss. I'll have a burger with french fries please. And a lemonade.*

La serveuse sort de sa torpeur, balbutie quelques mots, puis note nerveusement la commande. Ses yeux tombent ensuite sur toi. Tu ne retiens pas ton sourire.

– *Same thing. Same as my friend,* ajoutes-tu, un peu théâtrale.

La serveuse note et enchaîne ainsi les autres commandes, accrochée à son crayon, le poids du monde sur ses épaules.

Derrière elle, l'un des cuistots maugrée qu'il ne cuisine pas pour les nègres.

Mais au fur à mesure, toutes les assiettes se retrouvent sur le comptoir. Vous savourez votre première victoire en silence.

Posé devant toi, un pot de betteraves marinées. Tu l'approches et y plonges la main.

Personne, ici, ne connaît ta vie d'avant.

Tu déposes une betterave sucrée dans ta bouche. Te forces à l'avaler sans sourciller.

Selena glisse une main sur ta cuisse, la presse amoureusement, te sourit.

Ici, tu es neuve.

Tu te sens presque heureuse.

Dans l'autobus, tu reprends ta place. Ton siège. Si tu n'y étais pas, il y aurait un vide. Cette idée-là te confronte. Tu es en train de t'inscrire dans un groupe.

Par la fenêtre, les arbres mouvants sous ton reflet blanc. Tu as chaud. Tes cuisses humides collent au banc. Brutale sensation de déjà vu. Un trajet vers nulle part dans la tiédeur d'une journée normale. Mousse trop près de toi. Sa petite cuisse pâle frôlant la tienne. Toi qui t'éloignes de quelques centimètres, prémisse d'une rupture imminente, tu fuis son petit corps, trop doux, trop à toi.

Tu as mal au ventre.

Tu ne veux pas penser. Tu t'endors bientôt sur l'épaule de Selena.

On entonne un nouvel air gospel, qui te berce jusqu'à la prochaine escale.

Il fait soleil. Les deux autobus traversent ensemble les portes invisibles de l'Alabama. Seule une pancarte officielle défraîchie vous y attend, bien plantée : *Welcome to Alabama. We dare defend our rights.*

L'atmosphère est légère, et déjà, un sentiment de petite victoire plane dans vos rangs.

Quand une voiture vous double. À son bord, des fantômes. Tu ne les avais vus qu'en photos. Les voilà qui vous dépassent et roulent à quelques centimètres de vous.

Ta gorge s'assèche. Les yeux perçants du Ku Klux Klan, sous leurs poches immaculées, t'ont regardée.

L'autobus est forcé de s'arrêter, la voiture le bloque maintenant. Selena se blottit contre toi. Tu regardes la voiture, d'où s'expulsent, avec une grâce déconcertante, cinq individus masqués.

Tu cherches autour. Êtes-vous seuls ? À quelques pas de la route : une petite station d'essence, un minimarket, quelques voitures. Devant : des hommes. Quelques femmes aussi, et leurs enfants.

Vous n'êtes donc pas abandonnés. Il y a de l'espoir. Tu murmures à Selena que ça ira. Il y a des témoins.

Un bruit sec suivi d'un souffle aigu : les pneus, crevés.

Une rumeur de panique autour de toi. Tu te lèves, te diriges vers la porte, fais signe au chauffeur de t'ouvrir.

– *I'll talk with them.*

Ta peau te donne de la force. Ils ne te feront pas mal. Tu es blanche.

Mais des hordes fournies de la station d'essence survient un cri. Un cri féminin.

– *Let's burn them niggers !*

Tu te retournes vers celle qui a crié. À travers la vitre, vos regards se toisent. Elle a 40 ans, peut-être. Deux jeunes enfants accrochés aux jupes. Elle est jolie. Elle crie à nouveau :

– *Kill them nigger lovers !*

C'est alors que tu décodes la petite foule. Révélée par cette voix maternelle. Son cri en papier carbone de la réalité, qui se dessine maintenant devant toi : des hommes, des femmes, des enfants. Armés. De crow bars. De marteaux. De pioches.

Les cinq fantômes du KKK ont maintenant rejoint les troupes animées. Une main anonyme s'échappe du manteau blanc pour mettre le feu à un bâton.

Le réservoir explose. Cris de panique. La fumée remplit rapidement l'espace. Tu étouffes. Mais dehors, on vous attend.

Tu fermes les yeux et avances à tâtons.

Selena s'accroche à toi comme une enfant. Tu la diriges vers le plancher. Là où vous pouvez encore respirer. La porte avant s'ouvre. Tu t'expulses.

C'est d'abord l'air dense que tu reçois. Que tu avales en assoiffée. Encore aveuglée par la fumée, tu ne discernes pas ce qui t'entoure.

Puis, rugissant dans la douce lumière du printemps, le troupeau se jette sur toi.

– *Kill them nigger lovers!*

Des mollets fins, un pansement au genou. Ses chaussures délacées. C'est un enfant qui t'assène un violent coup de bâton sur la nuque.

Tu t'effondres.

À travers les corps dispersés, une silhouette se déplace en courant. Elle ne bouge pas comme les autres. Elle flotte, se déposant aux pieds de chaque corps écroulé. Qu'elle abreuve, d'une bouteille d'eau déjà presque vide. Elle s'approche de toi. Se penche, effrayée. Ses cheveux blonds collent à son visage humide. Elle a six ou sept ans. Une expression de terreur étampée dans le visage. En avalant les quelques gouttes salvatrices, tu te dis qu'elle ne la perdra jamais. Que pour toujours, elle sera défigurée par cette journée.

Elle repart aussitôt, sautillant nerveusement d'un corps à l'autre, trouvant un équilibre temporaire, le temps d'une gorgée offerte.

Soudain, une voix grave. Un appel.

– *OK. It's enough now. You've had your fun.*

Du haut de son cheval, la voix perchée dans son porte-voix, un policier appelle enfin au calme.

Et lentement, obéissante, la foule se disperse.

Quelques minutes plus tard, vous n'êtes qu'entre vous.

Tu embrasses la scène du regard. Une pluie de corps brisés, recroquevillés au sol, dans la lumière du soleil couchant.

Selena repose en position fœtale. Elle reprend doucement son souffle. Puis, dans un mouvement lent et ample, elle se déplie vers le ciel. Elle s'élève, en césure à l'horizon. Prête à continuer.

Alors tu te relèves aussi.

Vous vous arrachez au sol, tandis que votre empreinte reste imprimée en terre, affront à un gazon si bien taillé.

La carcasse de l'autobus fume encore en bordure de la route. Vous n'avez nulle part où aller.

Vous avancez soudés sans vous toucher, sillonnant la banlieue hypocrite qui feint de ne pas vous voir passer, groupe hécatombe traînant le pas, zieutant nerveusement derrière dans la crainte d'un assaut-surprise.

Il vous faut trouver un endroit où dormir.

Les habitations se font de plus en plus rares et leur absence te réconforte.

Seule en bordure du chemin, une grande maison. Elle a quelque chose de différent des autres. Un côté bancal, asymétrique, qui te la rend moins hostile.

Tu vas y cogner. Selena et Farmer t'accompagnent.

Un homme maigre, en robe de chambre, entrouvre craintivement la porte.

– *We've been attacked.*

L'homme vous scrute rapidement. Tu sens qu'il hésite. Son regard rejoint le groupe en attente derrière vous. Il a peur. Mais vous fait entrer.

Vous vous retrouvez entassés au salon, petite meute solidaire, incapable de vous étaler dans l'espace offert, pourtant vaste et confortable.

L'homme semble s'être éclipsé. Sa femme, longiligne et élégante dans un pyjama de soie, met à votre disposition le contenu de sa pharmacie, histoire de panser vos blessures.

Elle distribue des sandwichs aux tomates, puis s'assoit à tes côtés.

Elle a entendu parler de vous. De votre autobus. Elle sait ce qui est arrivé.

Elle est intelligente, tu le sais, tu le sens.

Elle te parle d'un ton maternel et doux. Te dit qu'il ne faut pas venir troubler l'ordre. Que vous vous méprenez.

– *Those niggers, you know, we love them... We get along...*

Son sandwich est bon. Prévisible et rassurant. Tu le manges et en demandes un autre. Sur les murs autour, des photos de famille. Tu comptes quatre enfants. Des sourires de vacances, des sourires de graduation, des sourires de mariage.

Des sourires heureux jalonnant une vie ordinaire.

Et spontanément, tu demandes à faire un appel.

Le téléphone repose sur une petite table de chevet. Tu t'assois sur la pointe du lit. Sur une des grosses fleurs roses ornant la courtepointe. La dame, délicate, te sourit en refermant la porte derrière toi.

Tu composes. Tu t'attends à la voix d'une des sœurs Barbeau. Pauline ou Janine, que tu confonds de toute façon. Mais c'est Mousse qui répond. Sa voix en transit entre l'enfant et la femme. Elle n'est pas à l'école ?

C'est la première chose que tu lui dis.

Une fraction de toi toujours intacte, une part maternelle sauvegardée.

À l'autre bout du fil, un temps précipice.

– Maman ?

Tu ne sais pas répondre à cette question-là.

Alors Mousse se jette dans cet instant unique.

Elle parle lentement et étire les mots pour que son histoire dure toute la vie.

Non, elle n'est pas à l'école. Elle fait de la fièvre. Hier, elle est allée au cinéma, avec un garçon. Il a mis son pouce dans sa bouche, il a touché sa langue. Elle a aimé ça. Puis, il s'est approché. Il sentait bon. Le beurre salé du pop-corn chaud. Et il l'a embrassée, sur la bouche, longtemps. Elle est revenue à la maison. Amoureuse et fiévreuse. C'est pour ça qu'elle n'est pas à l'école.

Assise sur un grand lit fleuri. Une mère ordinaire.

Tu entends le sourire de Mousse. Elle poursuit son récit pour ne plus te perdre. Elle te dit que depuis ce baiser, ses cheveux frisent. Elle te demande si les tiens frisent aussi.

On frappe à la porte. C'est Farmer. Il doit passer un coup de fil. C'est urgent.

Tu mens à Mousse et lui dis que oui. Tu frises aussi.

Tu raccroches et puis tu meurs un peu.

Farmer passe des heures au téléphone. Il tente tant bien que mal de rejoindre l'autre autobus. Vous ne savez pas s'il a poursuivi sa route. S'il a traversé l'Alabama. S'il repose quelque part en cendre.

Vous n'aurez votre réponse que le jour suivant, lorsque vous retrouverez le reste des troupes, entassées dans la prison de Jackson, au Mississippi.

À la porte : la police.

Vous êtes tous arrêtés pour trouble à l'ordre public.

Vous êtes huit dans une cellule de deux. Les Blancs ont été séparés des Noirs, chaque groupe enfermé à une extrémité de la prison.

Un à un, ils viennent vous chercher. Fouille à nu.

Dans une pièce vide et froide, une paire de doigts gantés te pénètre. Tu fixes des yeux le mur de béton qui te soutient. Tu t'accroches à ses aspérités. À ses courtes fissures, à ses béances. De petits lacs asséchés. Ceux de la lune. Tu t'y installes pendant qu'une main inconnue fouille en toi.

L'examen est terminé. Tu essuies du revers de la main la vaseline qui s'agglutine à l'entrée de ton sexe. Tu te retournes face à cette jeune femme aux traits délicats, qui te fixe avec dédain. Elle te raccompagne à ta cellule et te pousse brutalement parmi ceux qui sont devenus les tiens.

Tu comprends alors que pire que les Noirs, il y a ceux qui les aiment. Ces Blancs souillés, dont tu fais partie.

Au sol : un tapis de papier journal. Les feuilles s'amoncellent sous vos pieds, puis sous vos corps affalés et entassés. Des nouvelles de l'Amérique.

Les heures passent sans que vous puissiez deviner la suite.

Puis vient la distribution de cuvettes métalliques, dans lesquelles durcit une bouillie de légumes cuits. Tu as si faim.

Vous dormez imbriqués les uns dans les autres. L'odeur des haleines rances t'assiège.

Les jours et les nuits passent sans que vous puissiez vous laver.

Vous ne vous parlez plus pour éviter de vous sentir.

Vous entendez des lamentations venir de l'extrémité de la prison. Ou peut-être es-tu la seule à les entendre.

Une nuit, tu rêves de Mousse.

Elle a des seins. Deux petits seins qui percent à travers un t-shirt Donald Duck. Tu te réveilles en sursaut.

Tu vomis dans un coin. Tu appelles Selena, de toute la voix qu'il te reste. Mais personne ne vient. Tu finis par te recroqueviller et tu penses, à ce moment-là, que tu pourrais mourir au complet.

Tu ne parles presque plus, ou alors en regardant par terre. Comme quand tu étais petite et que tu marchais la tête penchée sur ces souliers neufs, offerts par ton père. Tu es à nouveau propulsée dans cette zone-là, où l'horizon n'existe pas.

Un bruit sourd: un mur explose, une femme artifice traverse à vive allure le corridor humide. Elle ralentit sa course à ta hauteur. Te jette un regard fou. Qui t'électrocute. Hilda Strike, fantasme ardent qui poursuit sa course éternelle et t'en abreuve. Tu la regardes s'éloigner.

Et tu gardes la tête levée.

Puis, au bout du corridor, des pas. Inhabituels. Ils se rapprochent et passent devant vous. Dix, 11, 12... Blancs et Noirs. Ils marchent, loyaux et fiers. Ils avancent, un signe de victoire aux doigts, à peine dissimulé dans leurs poches vides.

Vos corps inhabités, en suspension, les laissent défiler, puis disparaître. Éphémère et mystérieuse apparition.

Mais quelques heures plus tard, le même phénomène se produit.

Une quinzaine de jeunes traversent le corridor, semant derrière leur passage un parfum de conquête.

Et alors, tu comprends. Que le vent tourne. Qu'ils débarquent à partir de maintenant et sans arrêt, Noirs et Blancs, venus de l'Amérique entière, pour vous encourager. Pour faire craquer les murs de Parchman qui, progressivement, se remplit.

Et pour la première fois de ta vie, tu as l'impression d'être quelqu'un.

Ils l'auraient fait sans toi. Ils auraient gagné sans toi aussi. Mais à ce moment-là de ton histoire, tu avais besoin d'eux. Et peut-être, un peu, eux de toi.

Le 28 août 1961, 300 nouveaux manifestants sont emprisonnés à Parchman.

Le 22 septembre 1961, le gouvernement Kennedy ordonne la libération des détenus de la prison maintenant remplie à ras bord, en même temps qu'il déclare illégale l'utilisation des signes ségrégationnistes « *Colored* » et « *White Only* ».

De ton petit bureau juché au cœur de Greenwich, tu termines la rédaction d'un pamphlet conviant activistes et politiciens à la manifestation du surlendemain. Tes doigts volent sur la dactylo, conservant leur élégance malgré l'habitude.

Tu es secrétaire au sein d'une association militante. Pour la première fois depuis longtemps, tu as des habitudes. Tes bottines noires, ton rouge à lèvres, tes deux cafés matinaux.

Aujourd'hui, tu fêtes tes 40 ans. Tu ne l'as dit à personne. Selena le sait et t'appelle, de la chambre d'hôpital où elle vient de donner naissance à son premier enfant. Un petit garçon, né le même jour que toi, et qu'elle veut te présenter.

Tu iras. Pas tant pour le voir lui, mais pour la voir elle, gonflée de lait et chargée d'une puissance et d'une vulnérabilité nouvelles.

Tu sors du bureau et fais un détour au débit de boisson pour y acheter une bouteille de champagne.

Devant le magasin, un jeune homme. Assis par terre, le dos appuyé sur un banc public, la tête entre les genoux et la main tendue.

Des comme lui, il y en a plusieurs à New York. Mais quelque chose d'autre t'interpelle.

Sa fixité peut-être. Il semble presque faux, rigide au milieu des pas saccadés. Seul le léger tremblement de sa main trahit la vie qu'il porte malgré lui.

Tu entres. Choisis la meilleure bouteille de bulles. Et repasses devant lui en évitant d'y poser les yeux. Convaincue, cette fois, qu'il te regarde aussi.

Brève escale à ton appartement, situé au troisième étage d'un immeuble rustique de Manhattan.

Tu y mets de la musique. *My Guy*, de Mary Wells.

Tu danses en te changeant.

Le téléphone sonne. C'est ta sœur, Claire. Sa voix hésite sous la musique joyeuse qui résonne jusqu'à elle.

– Maman est morte.

Ta mère a, dans ton souvenir, le même âge que toi. Tu veux la voir vieille. Tu veux la voir morte. Tu as éperdument besoin de ce point final.

– Je viendrai.

Tu te diriges vers l'hôpital.

Gravis les marches qui te conduiront à la maternité. En pousses les portes vitrées.

Mais tu es plus métèque au milieu des mères qu'au milieu des Noirs, et tu n'entres pas.

C'est ici que tu abandonnes Selena qui vivra maintenant sans toi. Elle devient mère, alors que tu deviens orpheline.

Tu tournes les talons.

Tu arpentes la ville, un cratère sec dans la poitrine.

Tu n'as besoin de personne. Mais tu sens déjà le sol moins ferme sous tes pas.

Tu te retrouves devant lui. Le jeune homme immobile. Fossilisé. Étendu sur le banc, il dort. Ses mains, émouvantes, toujours prises d'un léger tremblement.

Tu t'assois à ses côtés. Il ouvre les yeux et te scrute. Son visage reste impassible et d'un regard, il s'accroche à toi.

Il doit avoir 20 ans. Une envie souterraine te prend de le bercer. Tu lui souris. Tu sors la bouteille de ton sac, tu l'ouvres, lui tends. La mousse dorée coule sur ses mains qui se figent enfin, saisissant cette ancre que tu viens de lui tendre.

Il boit.

Tu lui dis que c'est ta fête. Il boit encore. Il te souhaite *happy birthday* et se présente. Gary.

Il sera le troisième homme de ta vie. Et le dernier.

1965-1974

*

Été 1964, Journal du caporal Adams (Extraits)

La nuit était épaisse. J'avais des limaces dans mes souliers. Écrasées entre deux orteils. J'avais arrêté de les déloger, presque habitué à leur présence molle et mouillée. Je me surprenais même à leur adresser la parole. À leur demander ce qu'elles en pensaient. Elles faisaient partie de mes troupes. Les gars trouvaient ça drôle, ils m'avaient d'ailleurs surnommé The Worm Man.

On venait à peine de se disperser, se répartissant un étroit périmètre de jungle chacun. On était toujours dans une free fire zone. *C'est-à-dire que tous ceux qui y demeuraient étaient considérés comme des ennemis.*

J'étais arrivé il y a deux mois environ. Le temps se disloquait, la jungle s'immisçait en moi, dans mon sang, dans ma salive, dans ma merde. Elle me mangeait.

J'avais désiré être là. J'avais voulu suer, j'avais rêvé de tirer. Comme d'un absolu. Sans le relier à l'idée de vie ou de mort. J'avais voulu être actif. Simplement. Être dans mon corps et le rendre utile.

Et maintenant, je me laissais disparaître avec une certaine désinvolture.

C'est dans ce brouillard nocturne qu'il est apparu. Court sur pattes. Essoufflé. Je me rappelle le va-et-vient rythmique de ses épaules. Qui tendent vers le ciel, puis sombrent vers la terre. Encore. Encore. Encore. Je ne sais pas combien de temps on est restés ainsi face à face. Mais il a soudain levé son bras vers moi, fendant le ciel en deux. Son bras qui m'a semblé trop long. Il a crié. C'est sa voix qui m'a saisi au ventre. Elle ressemblait à la mienne. Comme il est étrange de s'entendre crier.

Alors j'ai tiré. Une rafale. Il est tombé. S'est relevé. Et s'est enfoncé dans la nuit. J'ai couru. Je ne le voyais plus. Mais je le sentais. Une montée de salive dans la bouche. Celle du prédateur. Il ne m'échapperait pas. On était aimantés.

Ma course était mathématique et feutrée, fendant la densité de la jungle. J'avais un but précis : lui.

La forêt s'est soudainement dissipée. Elle s'est ouverte sur le ciel indigo. Je ne voyais rien que des masses sombres que j'évitais de justesse, filant vers ma proie.

Qui était là, offerte et vulnérable, debout devant moi.

Je l'ai vu. Je peux même dire que je l'ai regardé. Il était beau. Avait des yeux longs et obscurs. Des joues creuses et des lèvres épaisses. Il m'a chuchoté quelque chose, en vietnamien.

Et j'ai tiré. Dans son ventre. Deux coups. Il est tombé sur les genoux, mollement. Il s'est déposé sur le sol. Au ralenti. Il est resté un moment ainsi. Agenouillé, simplement, à me regarder. Il était mort déjà, je crois. Mais il ne s'affalait pas. Il ne se rendait pas. Il restait ainsi face à moi, figé dans sa dignité sauvage.

J'aurais voulu qu'il tombe. Qu'il se rende. Qu'il arrête de me regarder.

Je me suis approché, j'ai posé ma main sur son épaule. Elle était fine, délicate. Je l'ai poussée. L'homme a lentement glissé vers le sol, face contre terre.

J'ai enfin pu relever la tête. Et j'ai vu le village. Les quelques maisons éparses, dessinées contre la nuit.

Et les masses striant l'espace. Ces stalactites humaines suspendues aux arbres, aux corniches, aux étoiles. Des dizaines de corps pendus. Qui pleuvaient du ciel.

Il était venu mourir au milieu des siens. Il avait couru jusque sous leur absence en fulgurant météorite, retenant sa chute jusqu'à la fin.

Je crois que le vent s'est levé, faisant osciller les cordes à leurs cous. Comme de lourds pendules, ils marquaient ma fin du monde.

À mon tour, je me suis affalé au sol.

Je n'ai plus bougé. Des heures, des jours peut-être.

Avant que mon convoi ne me retrouve, le corps enroulé à celui de ma proie.

Ils m'ont rapatrié. Renvoyé au pays, une étiquette « No Return » *au cou.*

Gary Adams – 22 ans

La porte du salon funéraire s'ouvre sur un murmure épars, que tu affrontes, tenant Gary par la main. Il tremble moins quand il te tient.

Tu fends la petite faune et les regards glissent sur toi. Tu vas te poster devant ta mère morte.

Ça fait 22 ans que tu ne l'as pas vue. Elle est moins sévère que le souvenir que tu en avais. Ses pommettes saillantes trônent sur son visage, bavant leur ombre sur ses joues vides.

Elle porte du rouge à lèvres. Tu ne l'as jamais vue maquillée. D'un geste prompt, tu lui enlèves. Tu frottes ses lèvres minces du bout de ton doigt.

Ta mère, enfin, n'est plus malheureuse. Elle est morte.

– Suzanne ?

Tu te retournes sur ton père. Achille. Il a maigri, s'est voûté, mais son regard reste vif et profondément bon.

Tu lui dis que ta mère ne portait pas de rouge à lèvres. Il te répond qu'elle aurait dû.

Il tend sa main vers Gary. Les deux hommes se saluent. Gary est un enfant, tu le sens dans le regard de ton père.

Achille hésite. Puis son corps s'incline

vers toi. Il te serre dans ses bras toujours vigoureux. Rapidement. Comme un geste de cueillette. Il s'assure de pouvoir préserver un morceau de toi avant que tu ne disparaisses à nouveau.

Ce que tu es déjà prête à faire.

Gary, réfugié dans ton sillage, te suit jusqu'à la sortie. Ta sœur Claire t'apostrophe au passage. Elle est effacée sous son costume ecclésiastique, et sa fermeté te surprend. Elle s'approche de toi et demande à te parler.

Ainsi, devant le salon funéraire, ta petite sœur voilée te raconte. Que François, ton fils, est errant. Qu'il a aujourd'hui 16 ans. Tu remarques son regard traquant Gary. Qui pourrait avoir le même âge. Elle poursuit. François a quitté le foyer de Val d'Or, où il a grandi. La famille de croque-morts l'ayant recueilli s'est dissoute après le décès de sa mère adoptive.

François a passé son enfance à assister son nouveau père lors des embaumements. Il a appris à passer le peigne dans des cheveux morts, à faire l'ourlet au dernier pantalon du mort, à poser peut-être un peu de rouge à lèvres sur la bouche d'une morte qui aurait rêvé d'en porter.

La nouvelle femme de l'embaumeur n'aimait pas François. Elle le battait.

Alors François a quitté la maison. « Il voulait te retrouver. »

Dans le train de retour qui se dirige vers Montréal, tu te surprends à regarder à l'extérieur, à scruter d'un œil aiguisé l'horizon rural qui défile. Entre les prairies nues et les forêts dépouillées, tu cherches ton fils disparu.

Gary porte ses monstres sous sa peau. Il est extrêmement doux, parle peu, sourit parfois. Il a l'habitude de se coiffer, traçant une raie fine sur le côté droit de son crâne délicat. Il te regarde rarement dans les yeux. Quand il le fait, vous faites l'amour. C'est toi, plutôt, qui lui fais l'amour. Qui l'enveloppes doucement. Comme une berceuse.

C'est la nuit qu'il exulte. Haletant, il se lève. Vérifie le verrou de l'appartement une fois, puis 10. Colmate la fenêtre du bout de ses doigts pour empêcher le vent de le toucher. Le vent qui le rend fou.

Tu attends que ça passe. Tu lui sers un verre qu'il boit d'un coup. Il se calme un peu. Assez pour que tu le tires contre toi, où il se blottit. Tu aimes sentir sa peau humide contre tes seins. Il a le souffle court d'un oisillon. Tu panses ses blessures de tes longues mains, tu le caresses, il se rendort.

Vous partagez un appartement de la rue McGill, à Montréal.

Des livres sont disposés en file indienne le long du corridor, attendant leur tour. Gary en pige un au hasard et en moissonne des passages, alimentant ton désir de fournir ta collection.

Aussi pars-tu quelques heures en fin d'après-midi, lui rapportant un livre usagé et une bouteille de whisky.

Au détour de ces brèves collectes, tu te déniches un travail de secrétaire, au syndicat des cheminots, sur la rue Sainte-Catherine. Un travail qui ne t'engage à rien, que tu fais bien et dont tu te défais aussi bien, pour rentrer rapidement t'occuper pleinement de Gary.

Mousse a 18 ans. Elle est hôtesse à l'Expo 67. Elle est dramatiquement belle. Gracile et obscure.

Animal d'argile, de brises fraîches et de fêlures foisonnantes. De ses plaies jaillissent des volcans.

Mousse a grandi chez ses tantes. Elle a étudié au pensionnat. Qu'elle a détesté. Puis a commencé des études à l'UQAM, en communications.

Un matin, elle reçoit un appel de Claire Meloche, la sœur de sa mère.

Elle a retrouvé François. Son petit frère. Mousse ne l'a plus vu depuis leur séparation.

Claire lui demande si elle veut le rencontrer. Mousse dit oui.

Un hôpital fatigué. Plusieurs étages que Mousse gravit très lentement. Elle porte une jupe longue et des bottines lacées. Comment s'habille-t-on pour retrouver son frère ?

Elle tire les mèches folles de ses cheveux derrière ses oreilles.

« C'est moi. » « C'est Mousse. » « Je suis ta sœur. » « Tu t'en souviens ? »

Comment se présente-t-on à celui qu'on a laissé derrière ?

Les étages s'enfilent. À chaque porte, une vitre épaisse. Des voix lointaines, des cris parfois. Une odeur de trop cuit et de médicaments.

François habite au dernier étage.

– Il a vue sur le ciel, a gentiment dit la dame à l'accueil.

Mousse sonne à la porte. Celle-ci est grillagée. N'entre pas qui veut à l'étage des fous.

Un homme en sarrau blanc vient ouvrir.

– Je viens rencontrer mon petit frère.

Mousse entre chez les fous. Y règne un chaos en pièces détachées. Des hommes, des femmes, sortis d'eux-mêmes, en éruption spontanée. Aucun ne se contient, à chacun sa sève. Certains chantent, d'autres pleurent, d'autres hurlent ou rient.

Mais le jour y pénètre. Et c'est vrai que, d'ici, on voit le ciel.

Mousse cherche François. Son petit frère aux joues rondes, aux cils immenses.

Mais c'est lui qui la trouve.

– Mousse ?

C'est lui qui la reconnaît.

Il transporte sa lumière. Svelte et creusé, long et abîmé, François s'avance vers sa sœur, les bras ouverts sur elle, qui revient enfin.

Et dans un coin de soleil, le bruit des fous rebondissant sur eux, Mousse et François se racontent.

Il parle d'une voix de surface, une voix si douce qu'elle ne fait que du bien. François s'est réfugié dans cet espace de sa tête où l'on ne peut plus le blesser. Il dit à Mousse qu'elle ressemble à un ange. Mousse lui prend la main. Le feu et l'eau se rencontrent ici, au dernier étage de la tour des fous. Elle est incandescente, il est aquatique. Chacun sauve sa peau comme il le peut.

Mousse passe sa main sur les joues rugueuses de son petit frère.

Il a maquillé des morts et avalé des drogues.

Il a baisé des rues entières pour la chaleur et pour les sous.

Maintenant, il entend des voix. Des fois douces, d'autres en colère.

Il est si heureux de retrouver Mousse.

Il plonge sa main au creux de sa poche, en extrait son porte-monnaie, duquel il sort un vieux bout de papier 1000 fois déplié. De ses longs ongles, il le déploie.

Un parapluie bleu s'y noie.

Mousse laisse François dans sa lumière.

Mousse a retrouvé son petit frère. Elle ne peut plus mourir.

Elle reviendra le visiter.

Elle complétera pour lui son dessin, qu'elle collera aux murs aseptisés de sa chambre.

Sous le parapluie bleu, elle ajoutera une fille et un garçon.

Mais pour le sauvetage, il est trop tard.

Tu prends Gary dans tes bras, tu romps sa coquille. Même enserré ainsi, il reste un moment le corps tendu, recroquevillé, en implosion douloureuse.

Tu démarres la musique. Robert Charlebois. *Je t'emmène dans ma Boulée, dans ma boulée sifflante. Donne-moi ta main pis tiens-toi ben, un mille de long rien qu'à courir, sur des roches molles pis des billots, attention de pas tomber, donne-moi ta main tu vas fouiller, attention pas t'mouiller !* Et tu danses. Tu danses avec lui plaqué sur toi, tu danses du ventre et du sexe, tu l'éclabousses d'une force terrienne et joyeuse, tu lui offres un corps-à-corps, un bouche à bouche, tu le ramènes à toi, tu le colles à la vie qu'il lui reste. *Pis de l'eau pis de l'eau pis de l'eau qui siffle comme un mouton qui pisse !*

Gary prend un bain, que tu lui as fait couler. Tu lui prépares des pâtes pendant qu'il lit son deuxième livre de la journée. Tu l'entends rire. Ça te fait un bien fou.

Le téléphone sonne.

Tu réponds. À l'autre bout du fil: Mousse. Elle te dit qu'elle a retrouvé François. Et qu'il veut te voir.

Tu te sens prise au piège. L'étau ne se referme pas sur toi, mais en toi. Toute ta poitrine se compresse.

Tu raccroches.

Les pâtes sont parfaitement cuites.

Gary vient se blottir contre toi. Dans ton cou, dans tes cuisses, sous tous les ourlets de ton corps. Il trouve asile un temps.

Il fait parfois voyager ses doigts sur les chemins de ta peau, y semant des ondées de frissons et des histoires de héros parcourant une jungle opaque, trop vaste pour eux.

Comme tous les après-midi depuis bientôt trois ans, tu entres à la librairie du coin.

L'étalage du fond regorge de livres usagés. Des classiques, surtout des policiers, que Gary adore. Tu aimes y plonger ton nez avant d'en parcourir quelques lignes. À leur odeur, on peut deviner qui les a lus, combien de fois. On peut leur donner un âge et une histoire.

Tu te remplis les bras de nouveaux récits, qui permettront à ton homme de s'enfuir, de quitter momentanément le Vietnam qui le bouffe encore par en dedans.

Ta peau et les livres le sauveront.

Tu paies. Gardes juste assez d'argent pour la bouteille de whisky quotidienne.

À la sortie, tu heurtes le journal du regard. Le visage de Claude Gauvreau. Ton ami. Celui d'une autre vie.

Tu saisis le papier que tu tiens serré et tu lis ce qui est écrit. Claude s'est tué. Défenestré. Au bout de sa chute, il s'est empalé.

Il venait de signer un contrat avec le Théâtre du Nouveau Monde, où serait jouée sa dernière pièce.

Il a eu peur d'être aimé.

D'un geste prompt, tu froisses le visage de ton ami fou furieux et tu l'enfonces dans ta poche.

Il donnait un nom aux mots perdus, à ceux qui n'appartiennent à personne.

Il s'en est allé les retrouver.

Le soleil te mange le visage, tu avances le poing serré sur le journal, le visage de Claude s'imprégnant dans ta paume. Tu aurais voulu lui dire au revoir.

Un homme se plante devant toi. Il t'appelle maman. Tu figes.

Pendant que tu affrontes ses traits doux et enfantins, tu te blindes. Une chape métallique invisible et tranchante te recouvre et te protège. Tu analyses froidement ton vis-à-vis. Cheveux fins dans lesquels le soleil reste pris en poussière. Front large et plus vieux que le reste du visage. Yeux immenses et pénétrants.

D'une voix tamisée, François te dit qu'il est content de te trouver. Qu'il te cherche depuis longtemps. Il tire quelques sous de sa poche, qu'il te montre dans un élan naïf qui te déstabilise. Il t'invite à prendre un café. Il sait où l'on peut en boire un bon pas cher.

Tu lui dis que tu es pressée. Tu lui dis que tu ne peux pas. Tu lui dis que quelqu'un t'attend.

Tu ne lui dis pas que tu le trouves beau. Tu ne lui dis pas qu'il devrait laver son grand manteau et couper ses longs cheveux.

Tu t'éclipses, traînant ta carapace lourde et rouillée.

Tu rentres chez toi sans la bouteille. Tu ressortiras la chercher. Tu as besoin d'un refuge. Une grotte où il te sera plus facile de faire semblant.

Tu entres et te diriges vers votre chambre, où tu trouves habituellement Gary, blotti dans l'espoir de ton arrivée. Mais il n'y est pas.

Tu te retournes vers la cuisine en murmurant son nom.

– Gary?

Et tu le vois.

Ses jambes longues oscillent devant la fenêtre. Ses bras pendent mollement le long de son corps, enfin libéré de ses tremblements. Son visage d'enfant est penché sur le côté comme la première fois qu'il t'a regardée. Il est bleuté, étouffé, la corde bien nouée autour de son cou brisé.

Tu avances vers lui à pas feutrés, comme si tu pouvais le réveiller.

Tu agrippes la chaise tombée sur le côté, tu montes dessus et plonges tes doigts dans les aspérités noueuses de la corde qui vient de tuer celui que tu aimes. Celui que tu n'as pas sauvé.

Celui que tu empoignes maintenant de tes deux bras et que tu soulèves pour le conduire à votre lit où tu l'embrasses et le berces en pleurant.

Tu as encore raté.

Les policiers viennent constater le décès le lendemain matin. Tu auras passé une dernière nuit avec lui.

Te voilà seule, à nouveau.

1974-1981

*

Tu déménages. Tu laisses tout derrière toi. Tu te trouves une pièce où tu accroches un hamac. Tu remplis le frigo d'alcool et tu ne sors plus.

Tu as 48 ans. Et tu n'en as rien à foutre.

Tu te saoules et tu baises.

Tu baises salement. Des jeunes, seulement. Que tu ramasses dans la rue, dans les cafés et les bars. Parce que tu sens le sexe.

Tu les invites à boire chez toi, tu fais tourner les bouteilles, tu te déshabilles, tu suces et tu jouis.

Tu t'oublies dans la chair juvénile et deviens le lieu de chute des corps mâles assoiffés.

Mousse a perdu François. Il est parti sans rien. Sauf un sac rempli de toutous. Il fait la rue avec eux. Le soir venu, il se fait bercer par ses voix intérieures, pléiade sacrée qui ne le laisse jamais seul. François se cherche une famille.

Un matin à la fenêtre d'en face apparaît son visage. Tu es nue, un verre à la main. Et devant toi, un visage angélique, bordé de longs cheveux blancs, te fixe.

François t'a retrouvée. Il a loué cette petite alcôve devant ta maison où, à défaut de pouvoir te parler, il peut au moins te regarder.

Tu restes un moment ainsi, face à lui. Ton petit garçon perdu. De l'autre côté, ses yeux brillent, et il te sourit.

Tu lui souris aussi. Comme tu le peux. Ces muscles-là semblent s'être éteints et l'effort que ça te demande est surhumain. Tu lui souris parce que tu sais que tu ne sauras jamais t'excuser. Tu sais que le pardon à implorer est trop immense.

Tu fermes les rideaux sur le visage fou de ton fils, que tu n'as pas touché depuis 20 ans.

Et peut-être pour te rapprocher de lui, tu deviens folle aussi.

Tu as chaud et froid. Tu as l'impression d'être suivie par une meute de loups éclopés.

On t'enferme.

Tu partages ta chambre d'hôpital avec une jeune femme, dont les plaintes ponctuent tes nuits.

Tu sais que tout le monde parle de toi. Dans ton dos. Tu les fusilles du regard et leur cries que tu comprends tout.

On te soigne. Tu te laisses faire. Tu as besoin qu'on prenne soin de toi.

Ta sœur Claire vient à ton chevet et te caresse les cheveux. Elle te dit que tu sortiras bientôt, si tu suis les conseils des médecins.

Sa voix résonne en écho jusqu'à toi et tu te bouches les oreilles. Tu es fatiguée.

Claire tamise la lumière de ta petite chambre. Elle te tend un verre d'eau. Elle attend que tu te calmes. Et elle t'annonce que ta fille, Mousse, est en train de donner la vie.

À quelques étages de toi seulement.

Tu attends que la nuit tombe. Tu troques ta chemise d'hôpital contre une blouse blanche. Tu passes la main dans tes cheveux, et appliques un peu de rouge à tes joues.

Tu te sens diffuse, éparpillée dans l'air médicamenté des fous. Tu es portée par un élan brumeux. Rien du courage, mais une force douce qui te conduit vers les quelques marches à gravir pour retrouver ta fille.

Tu traverses la maternité sur la pointe des pieds. Quelque chose en toi te susurre que tu as le droit d'être là.

À la réception, tu demandes la chambre de madame Barbeau.

On t'indique le chemin, que tu parcours la tête haute. Tu frappes et tu entres.

C'est d'abord la femme que tu vois. Ta fille ardente. Son regard qui te traverse, te transperce, te crucifie.

Elle t'appelle « maman ». Et cette fois, tu réponds oui. Sans même hésiter.

– C'est une fille, te dit-elle.

Tu es contente. Spontanément, tu t'approches, un nœud de bonheur pris dans la gorge.

Le regard de ta grande fille t'abandonne pour couvrir son enfant.

Ronde et encore chaude, elle repose dans ses bras comme s'ils avaient été conçus pour elle. Elle boit goulûment, déjà franchement en vie.

Tout ce qui de toi flottait revient lentement au sol. Tu reprends malgré toi racine. Tu t'abreuves à cette source douloureuse, tu retrouves un moment ton corps oublié.

L'enfant se repose maintenant sur son sein. Mousse relève brièvement les yeux.

Elle te décrypte de loin. Ne se rappelle que le vide laissé derrière toi.

Le parfum de ton absence a noyé celui de ton cou. C'est à cette odeur de néant qu'elle carburera, fabriquant les jours pour qu'ils soient pleins, toujours.

Tu es fière de ta fille. Elle a gagné. Elle vous a façonné une suite, qu'elle travaillera toute sa vie à inventer.

Tu as l'impression que Mousse enserre le nouveau-né de ses bras. Qu'elle ne te laissera pas l'approcher. Mais sa voix s'extrait des profondeurs et te demande, tout en resserrant son étreinte, si tu veux prendre le bébé.

Alors tu te penches sur les nœuds amoureux que tu défais doucement, soulevant le bras délicat de ta fille, puis l'autre, et tu me prends de tes mains froides.

Tu me soulèves jusqu'à ta poitrine. Je ressemble à Mousse.

Tu as 25 ans à nouveau et l'envie de débuts.

Tu as laissé filer ta vie, imperméable au monde.

Mousse tend les bras vers toi et tu aimerais lui rendre tout ce que tu lui as enlevé.

Tu me déposes au creux d'elle et tu sors de la chambre en laissant un peu de toi dans l'air et sur les peaux.

Tu as fait un trou dans ma mère et c'est moi qui le comblerai.

1980-2009

*

Tu vis en ermite dans un immeuble de plusieurs étages. Bouddha et le canal Rideau devant ta fenêtre, sont tes principaux interlocuteurs.

Tu pratiques la méditation. Tu essaies de sortir de ton corps que tu ne supportes plus.

Tu es retournée te réfugier à Ottawa. Tu te rases la tête, tu te dissous dans l'air.

Tu pratiques le zazen qui prône un « retour au moi », qui te conforte dans ta réclusion.

Tu trouves un maître spirituel aux États-Unis : *« I believe that at this time in my life the answer is : now as the only path. »*

Tu plonges tes mains dans la terre, transplantes des bulbes que tu arroses. Ils ne poussent pas, et tu t'obstines.

Tu cuisines. Ce que tu n'as jamais vraiment fait. Tu coupes les légumes avec une précision assassine. Tu conserves, sous tes ongles, cette terre que tu as honnie et qui te rattache aujourd'hui à la vie.

Tu ne parles à personne, mais tu déverses des éclats de quotidien sur ton maître spirituel. Tu lui écris que tu souhaites consacrer le reste de ta vie au bouddhisme.

Et que tu es satisfaite de tes piments farcis au tofu.

Dans un post-scriptum révélant l'ampleur de ta solitude, tu précises : *« My little pepper plant is doing well. »*

Tu arroses ta plante et la regardes lentement se déployer devant ta fenêtre sans rideaux.

Ce petit corps végétal poussant à contre-jour te rattache au vivant.

Tu travailles à ne pas t'assécher. Tu survis.

Un matin, tout en bas, une vieille dame court autour de l'immeuble. Tu la vois passer sous ton balcon, puis disparaître, pour réapparaître, toujours au pas de course.

Cette maladroite rupture de l'immobilité te fait exploser d'un rire geyser auquel tu t'abandonnes un moment.

Dans les archives de Borduas, on retrouve sur le tard un vieux manuscrit entamé par les mites. *Les Aurores fulminantes,* par Suzanne Meloche.

Tes écrits seront déposés à la maison d'édition des Herbes rouges où, 29 ans après leur naissance, ils sont enfin publiés.

Tu ne te rends pas au lancement. Tu es occupée à méditer, au milieu de tes plantes qui peinent à pousser.

Mais tu découpes tout de même les quelques critiques qui en font mention, que tu conserves au milieu des pages d'un livre, dans ta bibliothèque.

Les Herbes rouges publie parfois des textes plus anciens qui ont été oblitérés par le temps ou qui sont inédits comme ceux de Suzanne Meloche dont les poèmes, réunis sous le titre Les Aurores fulminantes *dans le numéro 78 de la revue, datent de 1949. Trente ans qui ne les ont d'ailleurs pas fait vieillir, et l'on se prend à regretter à leur lecture que leur auteure ne les ait pas fait paraître à l'époque et ne les ait pas fait suivre d'une demi-douzaine (au moins...). Suzanne Meloche appartient de plein droit à la génération des sourciers et des sorciers aussi qui ont rendu possible en le payant souvent très cher notre droit d'expression actuel.*

Critique des *Aurores fulminantes* dans *Le livre d'ici*, vol. 5, n° 41, publiée le 16 juillet 1980.

Les Aurores fulminantes *(n° 78), un texte de 1949, des vers fortement syntaxiques, des fantasmes partout de fente, de crevasse, d'échancrure, d'escarpement, une retenue qui fait tout déborder ; un texte qui n'a rien à envier à la postérité. Un certain code surréaliste, mais sans vieillissement. « Voici le revers de ma main / comme une liqueur. »*

Critique des *Aurores fulminantes,* publiée par Joseph Bonenfant dans *Le Devoir* du 30 juillet 1980.

Un matin, le téléphone sonne. Ça n'arrive plus, ou presque. Tu as coupé tous les ponts.

C'est Mousse. Elle voulait savoir si tu vivais toujours.

Ta bouche est sèche. Tu lui dis que tu préfères ne pas lui parler. Tu raccroches.

Cette nuit-là, tu ne dors pas.

Tu te lèves et t'agenouilles devant Bouddha. Tu fermes les yeux. Au creux de ton Moi que tu voudrais épuré, un trou noir. Qui t'aspire.

Le lendemain matin, tu prends le train et te rends à Montréal.

Tu marches sur la rue Champagneur, les mains enfouies dans les poches de ton long manteau.

Une petite fille gravit la montagne de neige devant sa maison. Solide, elle plante ses pieds dans la glace jusqu'au sommet, qu'elle atteint fièrement.

– Gagné!

Mousse la rejoint, tirant tant bien que mal un traîneau dans lequel est emmitouflé un bébé.

Un court instant, tu es projetée dans le passé. Tu crois te voir. Avançant dans l'hiver coriace, endimanchée de tes enfants comme d'une couronne trop lourde à porter.

Mousse applaudit la petite reine de la montagne, qui glisse jusqu'à elle. Le trio monte les quelques marches qui les séparent de leur maison, de l'homme qui la réchauffe, du noyau qu'ils ont réussi, malgré tout, malgré toi, à bâtir. La porte se referme sur eux, sans qu'ils t'aient vue.

Tes pieds sont glacés et ton ventre noué. Tu traverses lentement la rue pour déposer, dans la boîte à lettres de ta fille, un petit carnet des Herbes rouges, tes *Aurores fulminantes,* ce qu'il reste de toi.

Tu as griffonné vite fait à la toute première page: « À Mousse. On est allé trop loin, trop vite. »

Tu repars en croyant à un adieu.

Mais en haut, à la fenêtre du troisième étage, la petite fille te regarde t'éloigner. Tu croises son regard. Lèves vers elle une main hésitante.

Je te fixe sans te répondre. Tu as fait mal à ma mère et je ne t'aime pas.

Cette année-là, ma mère fait un film sur les enfants des signataires de *Refus global*. Une quête personnelle qui la conduit aux enfants de Riopelle, à ceux de Ferron, à ceux de Borduas. Tous en manque de leurs parents.

Ça sera pour elle une année difficile qui la transformera.

Cette année-là aussi, elle retrouve à nouveau son petit frère.

Il habite dans une résidence de la ville de Québec. Une maison des fous où il a sa chambre, où sur son lit reposent ses 100 toutous baptisés, où il enfile les cigarettes, en regardant par la fenêtre le temps qui passe lentement sur le fleuve majestueux.

Il n'a pas pris soin de son sourire qui ne sert à personne. Ses dents sont noires et sa barbe, longue.

Il est mélomane. Et très cultivé. Il parle d'une voix plus douce que la première neige et a ce regard tendre et profond des êtres d'exception.

Il passe Noël avec sa sœur. Dans la maison de campagne au toit rouge, où plus tard, tes cendres donneront un relief au vent.

François croit encore au père Noël. Il concocte avec plaisir la collation qu'on lui laissera sous l'arbre. Des dattes et un verre de vin rouge. Il fait équipe avec les enfants, invité dans leur pays, celui qu'il a raté et qui l'envahit aujourd'hui comme une maladie.

François fait des trous dans la neige, tout autour de la maison, dans lesquels il enfouit des bougies, à l'abri du vent. Mousse le suit, et allume un ruban de lumière au milieu de la campagne. Le père Noël n'oubliera pas son petit frère.

Pendant plusieurs années, Manuel, mon frère, t'appelle. Il a ce sens aiguisé du lien, comme s'il avait poussé à l'envers de toi. Et même si, chaque fois, il se heurte à ta voix froide et distante qui refuse de le rencontrer, il te rappelle. Et de sa voix d'enfant, puis de jeune homme, réitère ce désir de retrouver celle qui mit sa mère au monde.

Tu te tiens droite devant le mur de petites boîtes postales. Tu ne veux surtout pas être de ces vieux au dos triste et voûté en attente de courrier.

Alors que tes yeux sillonnent distraitement les autres cases, ils percutent un nom, griffonné à la main : STRIKE HILDA. #405.

Tu figes, incrédule. Hilda Strike ? À l'étage au-dessus du tien ?

Tu ouvres ta boîte postale. Y trouves un colis, que tu ramasses comme une braise ardente, prête à faire flamber l'immeuble, la ville et le pays.

Tu ne peux deviner d'où il vient. Rien ni personne ne pénètre ton antre depuis des années. Tu vis d'encens et de vodka. Tu lis, et converses avec Bouddha.

Tu t'engouffres dans l'ascenseur en tenant loin de toi cette missive qui t'effraie.

Au quatrième étage, la porte s'ouvre sur elle. Hilda. Une canne à la main, des souliers de course aux pieds.

– *Going down ?*

Tu restes sans voix. Ses yeux noirs et vifs. Ceux d'un renard. Ses sourcils délicats taillés en triangle, son front vaste et strié, ses cheveux gris tirés élégamment en un chignon bientôt déplanté par le vent. Et ce large collier qui lui plombe la poitrine.

Elle entre. L'ascenseur poursuit sa route, se dirige vers l'étage supérieur.

Elle soupire : elle voulait descendre. Tu t'excuses. Elle t'interrompt aussitôt en te fixant de son regard affûté, et appuyant bien sur chacun des mots qu'elle prononce :

– *Don't be sorry.*

Tu souris.

En retournant à ton appartement, tu te dis que pour la première fois depuis longtemps, tu viens peut-être de te faire une amie.

Tu déposes le colis sur la table du salon et ne l'ouvres que le soir venu. Fissure impromptue à la nuit : c'est une robe de chambre blanche. Immaculée.

Accompagnée d'un mot de Mousse, minutieusement rédigé.

Elle a rêvé de toi. Qu'elle te faisait cadeau d'une robe blanche.

Tu te déshabilles. Le reflet de ton corps fatigué te fait sourire. Il aura été désiré et arpenté. Mais personne ne l'aura jamais possédé. Sauf, un jour, tes enfants.

Tu déplies d'un geste brusque la robe qui se déroule devant toi.

Tu la poses sur ton dos et y glisses les bras, t'en enveloppes cavalièrement. La noues à ta taille comme un scellant. Te voici emprisonnée dans ce cadeau trop prompt, trop blanc, qui te brûle le corps.

Tu arraches la page d'un cahier et y lances les mots qu'il faut.

« Merci, Mousse. La robe fait bien, juste la bonne longueur. Très jolie. Il ne faut pas répéter. Suzanne – maman. »

C'est la première et la dernière fois que tu écris ce mot-là.

2006. Trois coups résonnent à ta porte. Tu ne répondras pas.

Tu t'installes dans ton immobilité travaillée.

Trois nouveaux coups insistent.

Tu enfiles ta robe de chambre. Tu prends soin de colorer tes yeux de khôl noir. Et tu ouvres.

Tu ne saisis pas tout de suite la charge humaine qui se dessine devant toi. Il te faut un temps pour qu'enfin tu décodes les traits de ta fille, puis ceux, similaires, de ta petite-fille. Deux femmes qui te renvoient doucement un violent reflet de toi.

Tu ajustes le nœud de ta robe de chambre. Tu hésites entre fermer ou ouvrir cette porte à laquelle tu te retiens.

Tu avales un filet d'air, qu'elles ramènent de dehors. Tu leur demandes comment elles sont entrées. Il faut normalement sonner en bas et s'annoncer.

Elles se sont faufilées. Sachant bien que tu ne leur ouvrirais pas. Ont profité du passage furtif d'une dame qui sortait au pas de course.

Elles ont une paire de patin au cou et ne font que passer.

Tu ne décides pas d'ouvrir, mais tu le fais. Ma mère et moi entrons chez toi. Nous assoyons sur ton canapé. Face à toi.

Et tu décides de profiter de ce tableau-là, qui ne se répétera pas. D'abord timidement, puis de plus en plus goulûment, tu nous savoures des yeux. Tu te promènes sur nos traits comme sur des dessins oubliés que tu aurais faits.

Tu nous demandes ce qui nous amène à Ottawa. Chacune une raison différente. Le hasard a fait en sorte qu'on y voyage en même temps. Tu n'écoutes pas vraiment ce que nous disons, mais plutôt la musique de nos voix.

Tu t'abandonnes avec plaisir à notre chant rafraîchissant.

Tu promènes tes yeux sur les fronts de colline et les bouches effilées. Tu as les mêmes. Et ces doigts longs dessinés pour jouer du piano. Les doigts de ta mère.

Tu nous offres un thé, que tu prépares posément, consciente de l'importance du moment. Tu es une grand-mère préparant du thé chaud pour sa fille et sa petite-fille.

Nous buvons et tu nous regardes boire.

Tu tentes de raconter tes jours plats et identiques, tu as presque l'air normal.

Puis, Mousse te demande pourquoi. Pourquoi tu es partie ?

Tu décroches et t'accroches à la courte silhouette de ta plante qui tente de prendre le ciel d'assaut.

Tu n'as rien à dire là-dessus.

Un silence nous épingle.

On décide de partir.

Tu refermes la porte derrière nous. Tu barres à clé.

Sur ton canapé, la trace de nos corps qui, progressivement, s'efface. Tu t'allonges dessus.

Tu avales le vide qui s'engouffre dans ta poitrine, comme l'océan dans le noyé.

Tu saisis ton téléphone et tu appelles Mousse. Elle patine sur le canal gelé qui borde ta tour de contrôle.

– Ne refais jamais ça.

Au printemps 2009, tu reçois une invitation des Herbes rouges. Dans le cadre du 10e marché de la poésie et des 40 ans de leur maison d'édition, une lecture est organisée sous un chapiteau, devant le métro Mont-Royal.

Des auteurs en vogue y liront des poésies surréalistes d'hier à aujourd'hui. Dont les tiennes. Qui seront lues pour la première fois.

Tu as 83 ans.

Tu déposes précieusement cette invitation entre les pages d'un livre, et tu ouvres une bouteille de vodka.

Deux verres à la main, tu sors de chez toi.

Appartement 405. Tu cognes. Hilda t'ouvre. Tu ne dis rien: elle t'invite à t'asseoir.

Installée dans un fauteuil de velours mauve, tu parcours les murs des yeux, pendant qu'elle s'agite dans la cuisine.

Partout des photos d'elle, en course. Toute jeune, les cheveux courts ondulants, les bermudas au-dessus du nombril.

Elle te rejoint au salon, te tend une assiette de spaghettis sauce bolognaise. Tu remplis à nouveau les verres de vodka. Vous trinquez, vos mains vieillies arrondies autour des verres fins.

Vous n'échangez que peu de mots, confortables dans cette union nouvelle et discrète. Tu te sens choyée de la voir immobile. Elle mange et boit avec de longs gestes lents, lève parfois un regard vers toi que tu soutiens, ravie, adoucie.

Ce soir-là, tu apprends que le collier qu'elle porte au cou, se déployant sur sa poitrine, pèse exactement 412 grammes. Le poids d'une médaille d'or.

Elle te raconte alors ce que tu sais déjà, et tu te gardes bien de l'interrompre, savourant le récit de sa propre bouche.

Elle est spécialiste du 100 mètres féminin.

– *They use to call me the ostrich,* te dit-elle, un éclat de fierté dans l'œil.

En 1932, concourant aux Jeux olympiques de Los Angeles, elle emporte l'argent, vaincue par Stella Walsh – elle grimace en prononçant son nom.

Et pour toi, elle se remémore la splendeur de cette course, la souplesse de son décollage, sa fulgurante propulsion, la puissante conviction de l'or, et la seconde qui l'a mise en marge de l'histoire.

Elle prend une dernière bouchée de spaghettis et il te semble qu'elle peine à l'avaler.

Puis, en quelques mots encore amers, le revers du destin, des années plus tard : Stella Walsh, qui l'emporte de quelques centimètres, n'était pas une femme.

– *Hermaphrodite. They found out about it when she died.*

Elle termine sa vodka d'un coup.

Si Walsh n'était pas une femme, alors c'est Hilda qui a véritablement remporté le championnat féminin de 1932.

– *Still waiting for my medal.*

Elle ajuste mécaniquement le collier qui lui pend au cou. Et alors, tu vois. Son cou courbé, ses chevilles enflées. Son appartement de vieille femme seule qui, toute sa vie, aura couru. Sans que pourtant, aujourd'hui, on se souvienne d'elle.

Et tu es prise d'un vertige immense.

Ce soir-là, tu rédiges ton testament à la main, sur une feuille blanche.

Tu y apposes le nom de tes enfants. Puis le mien, et celui de mon frère.

Ce soir-là, tu voudrais qu'on se souvienne de toi.

Devant le métro Mont-Royal, j'écoute tes poèmes exploser de vigueur, pendant que tu te maquilles. Un trait lourd de khôl sous ta pupille toujours vive. Nue face au miroir, tu accueilles ton corps rond et déserté. Lentement, tu passes ta main usée sur ton sexe éteint. Tu fermes les yeux et te déposes dans les vagues de ton souffle. Tu te laisses bercer pendant que le plaisir grimpe dans ton ventre.

Tu jouis, les yeux ouverts, fixés dans ton reflet. Tu t'accordes un pardon.

Et tu te laisses glisser sur le plancher froid de ta salle de bain.

Le 23 décembre 2009, enveloppée dans ta robe de chambre blanche, tu meurs.

Nous sommes tes uniques héritiers. Tu nous invites donc enfin chez toi. C'est à nous d'aller vider ton petit appartement.

On part à ta rencontre dans l'hiver. À travers la tempête. Archéologues d'un quotidien opaque.

Chez toi, à genoux, on cherche.

Ta garde-robe. Des chapeaux. Des robes. Beaucoup de vêtements noirs.

Je ne peux m'empêcher de plonger dans les tissus. L'odeur, habituellement, raconte tant. Mais même elle est secrète. Subtile, ténue, difficile à saisir. Un mélange accidentel d'encens, de sueur des jours sans mouvement. Une note discrète d'alcool, peut-être ?

Dans une boîte à souliers, des photos de nous : mon frère et moi, à tous les âges. Tu les as gardées. Et ma mère, d'année en année, a continué à te les envoyer. Nos âges sont inscrits à l'arrière, traces du temps perdu, raté, échappé. Tant pis pour toi.

Ma mère est assise dans ta chaise berçante. Doucement, elle te touche. Pose ses mains où tu les as posées. Embrasse le rythme d'une berceuse, celle qui lui a manqué.

Dans la petite salle de bain, je trouve du rouge à lèvres très rouge. Et des petits bâtons de khôl. Dont tu marquais ton regard, lui donnant de la force. J'en dépose un trait sous mes yeux.

Ma mère déniche un meuble, fabriqué par son père il y a longtemps. On le descend dans la voiture. Elle porte aussi la chaise berçante sur son dos, que mon père attache solidement sur le toit de l'auto.

On part bientôt. Je suis dans ta chambre. Contre la fenêtre, une petite plante verte. Elle s'appuie sur la vitre, aspirée par le jour.

Au pied de ton lit, des livres sont empilés. J'en lis des passages, au hasard, soudain avide d'indices de toi.

Entre deux essais sur le zazen bouddhiste : une pochette de carton jaunie.

Dedans, des lettres. Des poèmes. Des articles de journaux.

Une mine d'or, que j'enfouis dans mon sac en voleuse.

On s'en va. Je glisse un exemplaire usé d'*Ainsi parlait Zarathoustra* dans ma poche.

On referme ta porte derrière nous, pour toujours.

On roule lentement dans la tempête. Sur le toit, ta chaise berçante fend l'air, vaillante. Je ne sais pas encore que j'y bercerai mes enfants.

Je feuillette Nietzsche, jauni par le temps. Entre deux pages, un article de journal plastifié.

La photo d'un autobus en feu.

1961, Alabama.

En caractères gras : « *Freedom riders, political protest against segregation.* »

Autour de l'autobus, des jeunes Noirs, des jeunes Blancs, sous le choc, rescapés des flammes. À genoux, une jeune femme. Elle me ressemble.

Une prairie, vaste, sous un ciel orageux. Debout, une femme. Elle est en train de prendre racine.

C'est douloureux.

Elle creuse un trou. Qu'elle veut profond.

La femme, c'est ma mère.

Qui jette tes cendres dans la terre.

Une poignée de toi lui échappe et s'envole au vent. Elle redouble d'ardeur. Tu ne te sauveras pas.

Ta fille te plante derrière chez elle, dans ce champ immense qu'elle connaît par cœur, dans l'espace qui accueille ses promenades matinales.

Le ciel noir au-dessus d'elle vous avale.

Sous la pluie elle s'acharne. Elle te mêle à sa terre.

Là où elle saura te trouver.

C'est fini.

Tu ne pourras plus t'enfuir.

Aujourd'hui

*

Il est cinq heures du matin. Le jour se lève sur la campagne, d'un vert ardent. Ma fille, naissante, termine sa nuit à cette heure secrète, dans la parenthèse du jour.

Je l'emmène en promenade sur le chemin de terre. Au creux de mes bras, elle avale l'air matinal comme une immense surprise. Tout son corps s'ouvre à la moindre brise. Cette émouvante rencontre du monde marque notre humble procession; nous allons vers toi.

Au bout du champ, une longue pierre plate cohabite avec les conifères. Y sont gravés les noms de mes aînés. Sous ceux des parents aimants de mon père, ma mère y a fait creuser le tien. Ton nom, dont les lettres s'enfoncent dans la pierre grise.

Ma mère, fêlée du cœur. La permanence des éclats de verre laissés sous sa peau, traces d'abandon qu'elle porte en blason.

Ma mère qui ne sait pas qu'elle peut être aimée. Pour l'embrasser, pour la serrer dans nos bras, il faut développer des techniques raffinées.

Aujourd'hui quatre fois grand-mère, elle vit toujours avec mon père.

Ils sont ensemble des résistants, des bâtisseurs, des alchimistes.

Je traverse le champ humide du matin. Nous voilà postées devant toi.

Les noms inscrits au-dessus du tien ont compté dans ma vie. Alors, pourquoi toi? Pourquoi toi, que je cherche à raconter?

À mes pieds, un rond d'herbe foulé, épargné par la rosée. Un chevreuil y a passé la nuit, blotti à l'ombre de ta tombe. Je m'assieds dans son lit, ma fille lovée dans mes bras.

Le soleil fait surface, chatouille la ligne d'horizon.

Parce que je suis en partie constituée de ton départ. Ton absence fait partie de moi, elle m'a aussi fabriquée. Tu es celle à qui je dois cette eau trouble qui abreuve mes racines, multiples et profondes.

Ainsi, tu continues d'exister.

Dans ma soif inaltérable d'aimer.

Et dans ce besoin d'être libre, comme une nécessité extrême.

Mais libre avec eux.

Je suis libre ensemble, moi.

Ma fille s'est endormie sur mon sein.

Toutes deux ainsi fusionnées devant l'ampleur de la forêt, sous le ciel immense où se déploient, sauvages, les nuages, nous sommes ensemble et te saluons, Suze.

Je me souviens de toi.

Nous nous souviendrons de toi.

Remerciements

Merci à grand-papa Marcel, de m'avoir donné la permission.

Merci à maman, de me l'avoir donnée aussi. Et d'être replongée dans tout ça pour moi.

Merci à Louise-Marie Lacombe, détective privée et chercheuse d'or, sans qui je n'aurais pu retrouver Suzanne et me l'inventer sur mesure.

Merci à François-Marc Gagnon, historien de l'art. Ses Chroniques du mouvement automatiste québécois, *magnifiquement écrites, m'ont abreuvée, du début à la fin.*

Merci à Peter Byrne, retrouvé dans une oasis italienne, pour tous ses récits, toujours animés d'un amour profond pour ma grand-mère.

Merci à François Barbeau, à Ninon Gauthier, à Guy Meloche, à Marielle Brisebois Meloche, à Claire Meloche, à Madeleine Meloche, à Brigitte Meloche, à Anne-Marie Rainville, à Andrée Pion, à Suzanne Hamel, à Pâquerette Villeneuve, et à la famille et aux amis de Gary Adams.

Merci à tous ceux qui auront accepté de se souvenir de Suzanne pour moi.

Merci à André Turpin et à Jérôme Cloutier, pour la photo d'une femme en fuite ou en poursuite.

Merci à Maj, pour l'élégance.

Merci à la maison bleue et à ceux qui en prennent soin.

Merci à Jean-Marc Dalpé, à Daniel Poliquin et à Raymond Cloutier pour leurs conseils.

Et un immense merci à Émile, mon homme, pour toi tout entier qui partage ma vie tout entière. À Philippe et à Manon, mes parents. Ainsi qu'à Danielle, à Dounia, à Maryse, à Jules, à Marie-T, à Monique, qui tous ensemble m'ont permis d'écrire et d'avoir des enfants en même temps.